МЕЖДУНАРОДНЫЙ БЕСТСЕЛЛЕР
Поразительная история боли и возрождения

Халил Рафати

Я ЗАБЫЛ УМЕРЕТЬ

МОСКВА

2019

УДК 821.111-94(3)
ББК 84(7Сое)-4
Р26

I Forgot to Die, Khalil Rafati

Рафати, Халил.

Р26   Я забыл умереть / Халил Рафати ; [пер. с англ. М.Л. Табенкина]. — Москва : Эксмо, 2019. — 288 с. — (Новая реальность).

ISBN 978-5-04-089031-6

«Я забыл умереть» — это история невероятных взлетов и ужасающих падений Халила Рафати. Сейчас он — миллионер, владелец преуспевающего бизнеса, роскошного дома на Калифорнийском побережье и обладатель частного самолета. Среди его друзей — голливудские знаменитости, да и сам Рафати — настоящая знаменитость, жизнь которой достойна экранизации. Глядя на этого цветущего 46-летнего мужчину, построившего свою империю здорового питания Sunlife Organic, невозможно поверить, что этот человек был законченным наркоманом, жил на улице и пережил целых девять передозировок. В свои 33 года он весил всего 49 килограммов и выглядел так, как будто болен всеми самыми страшными болезнями одновременно. «Я забыл умереть» — поразительная реальная история боли, страдания, зависимости и возрождения, биография человека, который одержал окончательную победу над своими демонами и переписал жизнь с чистого листа. «Его книга обладает даром исцеления, потому что раскрывает темы несбывшихся надежд детства, детских травм, примирения с собой, освобождения, дружбы и поисков смысла жизни», — считают те, кто уже познакомился с историей Халила.

УДК 821.111-94(3)
ББК 84(7Сое)-4

ISBN 978-5-04-089031-6

ОТЗЫВЫ ЧИТАТЕЛЕЙ СО ВСЕГО МИРА

На страницах этой книги наркозависимые наверняка узнают себя. Но их сердца наполнятся любовью и надеждой. Какая трагическая история загубленной молодости! И чудесное воскресение падшего духа, который теперь вдохновенно служит людям! Даже за одну лишь спасенную жизнь — молодой женщины Сары — автор заслуживает благодарности. Но его книга указывает путь многим.

Шелли

Из самых глубин — к достойной и созидательной деятельности. Потрясающая воля к жизни! Когда я лечилась от наркозависимости, именно книга Халила вела меня к моей личной победе — я поднималась и падала, ползла, если не было сил идти... Спасибо тебе, Халил, за твой опыт, мужество и, самое главное, за надежду я — ты протянул мне руку, чтобы я могла встать!

Анна

Я знал Халила в первый год его трезвой жизни — тогда он был совершенно надломленным человеком. Как это впечатляет, когда преображение совершается буквально на твоих глазах! Я прочитал эту книгу на одном дыхании, всего за два вечера. И понял: КАЖДЫЙ может изменить свою жизнь, если даст себе такой труд!

Кимберли Лиду

Смело, жестко и брутально. Как низко можно пасть в погоне за кайфом!.. У этой истории счастливый финал. Я рада, что Халил обрел свое счастье, что сегодня он успешный бизнесмен. Так пусть же и дальше радуется жизни и помогает другим!

Кэти М.

Содержание

Я навеки признателен Хейли Горси, — ее любовь, терпение и понимание были благословением для меня, они изменили мою жизнь. Также я должен поблагодарить Рика Рубина. Он — потрясающий наставник, вдохновитель и движущая сила в моей жизни. И моего замечательного учителя, редактора и друга Нила Стросса. С ним я поборол страх, который мешал мне написать эту книгу. Наконец, я очень благодарен Джереми Брауну, Заху Оброну, Тукеру Максу и всему издательскому коллективу Book In a Box за то, что вы помогли претворить в жизнь мою мечту.

ГЛАВА ПЕРВАЯ

ЛЕТО 2001 ГОДА «ТЫ УМРЕШЬ, ЕСЛИ ТЕБЕ НЕ ПОМОГУТ»

Я впадаю в забытье, а затем снова прихожу в сознание, силясь разобрать лицо человека, склонившегося надо мной.

«Если ты не обратишься за помощью, ты умрешь!»

Твою мать, я помню его голос. Похоже, я опять принял слишком большую дозу, и не в меру усердный сотрудник скорой помощи попытался сделать из меня жертву своей жестокой любви. Что за непруха! Это голос отца моей девушки.

Черт побери, почему она его впустила?

Голос возмущается нашей безответственностью. Как мы дошли до жизни такой?

Снова и снова. Как заевшая пластинка.

Я лежу с открытыми глазами, но не реагирую. Сначала надо оценить ситуацию.

Рядом стоит отец Дженнифер. Итак, вся семья в курсе. Я медленно плетусь в ванную.

Мать твою, похоже, здесь разорвалась бомба. Везде иглы и кровь. Я дважды бьюсь лбом о стену. Никому нет дела. Всем пофиг. Я тру плечо и натыкаюсь на пластырь.

Дело дрянь. Понятно, почему мне не больно. Пластырь Дюрогезик с обезболивающим эффектом на семьдесят два часа.

Хвала Господу. Я продержусь до тех пор, пока Дженнифер выпроводит отца и сестру.

Я разгоняю полчища мух над толчком. В зеленых пластиковых бутылках плещется темно-желтая моча. Я поднимаю сиденье унитаза.

А, вот откуда здесь мухи. Хозяйка опять отключила воду.

Я мочусь в раковину. Рядом валяются маникюрные щипчики, ножницы, пинцет для носа, две бутылки пергидроля и банка растворителя.

Медленно поднимаю голову и гляжу на себя в зеркало.

С левой щеки и между бровями слезли куски кожи.

Ободрана правая ноздря, и в паре мест ободралась кожа со скальпа.

На стене моей кровью и моей рукой написаны слова:
ДА ПОМОЖЕТ МНЕ БОГ.

***

Я родился в 1969 году в городе Толидо, штат Огайо, в год Петуха — светозарной птицы. Я появился на свет недоношенным, потому что, как выразилась моя мать, отец немного «погорячился». Она хотела сказать, что он ее избил. Мой папа был палестинцем, но дети в школе дразнили его «песчаным ниггером», а моя мама была

Я появился **на свет** недоношенным, потому **что, как выразилась моя мать,** отец немного **«погорячился».**

полячкой — они приплыли в Америку на корабле.

На углу улицы сидел старик индеец. В нашей округе все были белыми красивыми людьми с голубыми или зелеными глазами. Все, кроме моего отца и этого старика индейца. Кожа моего отца была коричневой, и этот коричневый цвет был цветом ярости. Старый индеец был *очень* коричневым, но его коричневый был цветом печали и переходил в красный. Я был счастлив, когда начинался дождь, потому что индеец был ужасно грязным, а дождь смывал с него грязь. *В другой раз, когда начнется дождь, я не убегу. Я буду сидеть неподвижно, как этот старый индеец, и стану чистым.*

О прошлом моего отца мне известно мало. Знаю, что он родился в Иерусалиме, в бедной арабской семье. Однажды он рассказал мне историю, как мальчиком прогуливал уроки и играл в доме своей кузины. Когда моего отца там нашел его отец — мой дед, — он избил всех родственников и заставил моего папашу бежать двадцать километров обратно до дома, а сам дедушка ехал за ним на велосипеде. Всякий раз, когда он валился с ног от усталости, дед слезал с велосипеда и бил его кулаком.

Один из моих родственников как-то рассказал мне на ломаном английском еще одну историю о моем отце — как он бросил свою первую жену с детьми в Палестине. Он уехал в Германию на заработки и задержался там, — семья уж и не думала, что он вернется. Но через пять лет отец все-таки вернулся. Его жена к тому времени вышла замуж за его брата, и у них родился ребенок.

Может, мой отец когда-то и любил своего брата, но ко дню моего рождения он уже не любил никого. Жизнь его ожесточила. И он был абсолютно уверен, что мир — плохое место для жизни.

С матерью все было еще хуже. Когда началась Вторая мировая война, она была маленькой девочкой и жила в Польше. Ее отец погиб, сражаясь в море с нацистами. Ее мать пыталась бежать в Венгрию, но перейти границу было очень трудно, а вместе с ребенком и вовсе невозможно, и поэтому она подбросила мою маму чужим людям, а сама переехала жить к двум сестрам. И вместе с приютившими ее людьми мою мать угнали на Украину, затем отправили в Казахстан, Узбекистан, а позже — в Сибирь, в трудовой лагерь для женщин и детей. Моя мать никогда не рассказывала об этих ужасах, а когда я пытался расспрашивать, всегда отвечала: «Прошлое осталось в прошлом, и лучше о нем забыть». Но иногда (хотя и очень редко) она все-таки упоминала, как таскала мешки, собирала зерно голыми руками, как в одном бараке с ней жили пятнадцать-двадцать человек. На всех была лишь одна печка-буржуйка и одно помойное ведро, которое периодически замерзало. Многие умирали от голода.

Когда моей матери было за тридцать, война уже давно закончилась. Вместе со своим первым мужем она эмигрировала в Соединенные Штаты. У них родился ребенок, но в скором времени муж ее бросил и вернулся обратно в Польшу. Потом моя мать разыскала свою мать — мою бабушку. Бабушка работала в Толидо — горничной в богатой семье.

Мама позвонила бабушке.

«Я к тебе приеду», — сказала она.

За несколько дней до приезда мамы моя бабушка закрыла ворота своего гаража и завела двигатель. Не было ни слез после долгой разлуки, ни расспросов, ни слов утешений. Моя мама снова осталась одна. Теперь она была матерью-одиночкой и работала горничной в той же богатой семье, что и моя бабушка. Помимо этого, она училась в университете Толидо, где и познакомилась с моим отцом. Они сразу же влюбились друг в друга и быстро поженились — жестокий, надменный, обаятельный мужчина и надломленная красавица, которая думала, что сможет его изменить.

Но медовый месяц продолжался недолго. Первым делом после свадьбы мой отец потребовал, чтобы моя мать отказалась от сына от предыдущего брака. Он не хотел воспитывать ребенка от другого мужчины и настоял на том, чтобы она сдала его в детский дом. Снова и снова мать умоляла отца, чтобы тот разрешил забрать сына домой, но он неизменно отвечал отказом. Вскоре мать забеременела мной.

В детстве, когда я еще не умел говорить, меня преследовал один и тот же кошмар. Это была маленькая, демоническая фигура с неясными очертаниями. Она гналась за мной и грозилась убить. Откуда я знал, что это было воплощение зла? Ведь мне тогда еще не рассказывали

**М н е тогда еще
не рассказывали** ни о
добре, **НИ О** зле, **ни** о Боге,
ни о дьяволе, НИ о рае, *ни
об* аде...

ни о добре, ни о зле, ни о Боге, ни о дьяволе, ни о рае, ни об аде... Еще одним персона-
жем моих ночных кошмаров было гигантское
белое привидение, которое волокло меня в туалет родителей, приковывало к полу и щеко-
тало до тех пор, пока у меня не перехватывало
дыхание. Я чувствовал непреодолимую тяжесть
и не мог встать. Хотелось бы сказать, что мои
дальнейшие воспоминания будут исключительно светлыми, но это, к сожалению, не так.

Когда мне было пять лет, моя мать снова начала убиваться по поводу того, что ей не раз-
решают забрать старшего сына. И вдруг мой
отец уступил. Уж не знаю, что делали с моим
братом в детдоме, но, судя по всему, там с ним
происходило что-то ужасное. Поначалу, когда
он трогал меня, я очень стеснялся и терялся.
С одной стороны, мне отчаянно не хватало ро-
дительской ласки, но с другой — я почему-то
сразу понял, что так делать нельзя. Со временем прикосновения брата стали вовсе возмути-
тельными и вызывающими. Он был на восемь
лет старше меня — этот подросток в пубертат-
ном возрасте, который не знал, что ему делать

11

со своей сексуальностью. Я стал жертвой его любознательности.

Эти домогательства вошли у него в привычку, в конце концов я понял, что больше не могу все это терпеть. Я побежал к матери за подмогой. Она прихорашивалась перед зеркалом, собираясь идти в ресторан моего отца, где они работали день и ночь. Я плакал, тянул ее за рукав и умолял пресечь это паскудство. Но мать только пренебрежительно отмахнулась.

«Это всего лишь щекотка. Забудь об этом», — вот и все, что она мне сказала.

На этом разговор был окончен.

Потом мой братец начал приглашать соседских парней, чтобы каждый из них мог со мной поразвлечься. Один из мальчишек, увидев, чем занимается мой брат, оттащил его от меня. Он закатил ему такую оплеуху, что братец перелетел через всю комнату. Потом этот парень повалил его на пол и стал избивать.

— Ты что, рехнулся?

Он ударил брата пару раз и снова заорал:

— Ты что, совсем ненормальный? Зачем ты это делаешь?!

Тут он увидел, что я испуганно стою и наблюдаю за происходящим. Парень посмотрел на меня своими голубыми глазами и сказал: «Все в порядке. Иди отсюда».

А я все стоял, застыв от восхищения. И был очень счастлив в этот момент.

— Все в порядке! Уходи уже! Убирайся отсюда! — закричал он снова.

И тогда я бросился оттуда со всех ног.

Парня этого звали Грег Хаффман. Он жил за пять домов от нас, в переулке возле ручья. Его мать была из тех светских леди в перчатках, с острыми садовыми ножницами в руках. Она постоянно работала в своем саду. Их приусадебному участку можно было только позавидовать — самая зеленая трава, самые красные розы, а мама моего заступника всегда была доброжелательна и здоровалась со всеми прохожими. Я очень любил Грега, он часто гостил в нашем доме и имел на моего брата сильное влияние.

С того случая прошло два месяца. Брат ко мне больше не приставал. Но однажды он вернулся домой среди бела дня. Задыхаясь от рыданий, брат вбежал в комнату. Таким я не видел его, пожалуй, никогда. Оказывается, Грега увезли в больницу, где ему делают срочную операцию на открытом сердце. В тот же день он умер.

Как могло произойти такое несчастье? Грег был моим кумиром, моим защитником, хотя ему было всего четырнадцать лет. Как Бог мог допустить такое? Как Он мог забрать Грега и снова оставить меня одного наедине с братом? Я возненавидел Бога. Я возненавидел мир и всех его жителей.

Я никогда не говорил моему отцу, что делал со мной брат. Мы жили в постоянном страхе, боясь навлечь на себя его гнев. Малейшая оплошность приводила его в бешенство, он рвал, метал и разносил мебель в щепки. Поэтому я не осмеливался ничего говорить, — я был уверен, что тот вытрясет из меня всю душу. Спастись в моем доме мог только человек-невидимка.

Но мне не хотелось быть человеком-невидимкой. Я мечтал о том, чтобы меня воспитывали, понимали и слышали, любили и ценили. Я хотел, чтобы моя семья была не хуже, чем семьи моих друзей. Теперь я уже знал, что у меня неблагополучная семья. Я видел, как другие дети гоняют мяч со своими отцами, как другие семьи собирают вещи в багажник и едут вместе на рыбалку или пикник. А я был изгоем. Я был ублюдком. Я был проклят. *Зачем я появился на свет?*

***

В Толидо даже погода какая-то тягостная. Весна и осень здесь замечательные, но холодная зима и тропически знойное и дождливое лето вгоняют в полупьяную одурь.

У нас в доме практически всегда был включен телевизор, но по нему не показывали ничего, кроме сцен смерти и насилия — передачи про войну во Вьетнаме, про сына Сэма[1], про душителей с холмов[2], Джима Джонса[3] и так далее и тому подобное.

И еще была религия. Эта тема приводила меня в полное замешательство. У моей матери была лучшая подруга — польская еврейка Баша. По пятницам мы ходили к ней встречать субботу. В праздничные дни мы зажигали менору и праздновали хануку. В силу понятных причин все, что мы делали в доме Баши, было запретной темой в нашем доме. Я держал язык за зубами, но однажды в дом Баши нагрянул мой отец и оттаскал мою мать за волосы. Так закончились наши еврейские традиции.

---

[1] Дэвид Берковиц (р. 1953) — американский маньяк. Шесть убийств.

[2] Кеннет Бьянки (р. 1951) и Анджело Буоно (1934—2002) — американские маньяки. Двенадцать убийств.

[3] Джим Джонс (1931—1978) — лидер секты «Храм Народов» в Гайане, которая совершила массовое самоубийство в 1978 г.

Мой отец был мусульманином и иногда приглашал мусульман в гости. Они истово умывали руки и лицо, расстилали коврики на полу, становились на колени и повторяли слова арабских молитв.

«Аллах акбар! Аллах акбар!»

Потом настало время идти в школу. Мой отец не мог отдать своего сына в бесплатную школу, потому что там учатся бедняки, а он был гордым. Но все частные школы возглавлялись католиками. Причем не просто католиками, а иезуитами.

Пропасть непонимания и стыда увеличивалась. Я не понимал католической веры. Все эти противные настоятели и злые монашенки в нелепых сутанах... Слишком уж все чинно и напоказ. Удушливые благовония, вкушение плоти и крови Христовой — мне мерещился во всем этом какой-то подвох. Я очень полюбил Иисуса Христа. Мне нравилось, когда нам рассказывали о Его учении. Иногда я даже молился Ему. Впрочем, из-за этих новых ритуалов я оказался в еще большем замешательстве. Только в одном я мог быть уверенным, и эта уверенность укрепляла мою веру. Я — изгой, я не такой, как все. Сидение, стояние, преклонение колен и крестные знамения на церковных службах сеяли в моей голове сомнение и ненависть к самому себе.

Общественное давление росло, а от него так просто не избавишься.

Это случилось через несколько месяцев, в первом классе школы святого Патрика. Моя классная дама была из бывших монахинь. Очень строгая и бесстрастная женщина. У входа в класс стояла чудесная новая рождественская елка, украшенная стеклянными шарами и гирляндами ручной работы. Учительница строго-настрого запретила приближаться к елке.

В тот же день я усвоил одну **очень важную** мысль: если хочешь что-нибудь получить, сначала **поработай.**

«Я запрещаю вам дотрагиваться до елки и даже подходить к ней! — предостерегла она, буравя нас взглядом. — Эти гирлянды...»

И тут я встал и направился к елке. Учительница замолчала. Все взгляды устремились на меня, я как сейчас вижу эту картину: маленький мальчик останавливается возле рождественской елки и одним быстрым движением руки валит ее на пол. Грохот был оглушительный. Я и сам не ожидал такого. Шары покатились, стеклянные гирлянды разлетелись вдребезги. Деревянные игрушки рассыпались и валялись на полу.

Учительница ахнула и застыла от возмущения.

Я пишу эти строки, и мне кажется, что все это было не со мной, что я наблюдаю это событие вместе с другими детьми, раскрыв рот от изумления. Но мне стало легче. Я выпустил пар.

Тут у учительницы открылось второе дыхание. Она вцепилась мне в руку, закричала и принялась шлепать меня. Я засмеялся. Я хотел удержаться от смеха, но не смог. Сначала я смеялся тихо, но потом смех перерос в громкий и безудержный хохот. Мой смех оказался заразительным — засмеялись другие дети, а мальчики — громче всех. Учительница аж затряслась от негодования. Она шлепала меня все сильнее и сильнее, пока у нее не устала рука, а я все смеялся и смеялся. Наконец она выбилась из сил. Ее руке было больнее, чем мне. Запыхавшаяся, раздосадованная и разбитая, она потащила меня к директору.

Мне испортили настроение. Мне было стыдно. Но в то же время я был в восторге. Я познал мой первый наркотик, мою первую зависимость — хулиганское поведение.

***

Стоя перед матерью на коленях, я умолял ее развестись с отцом. Когда мне было семь лет, моя мечта сбылась. Мать была сыта по горло. Отец оставил нам дом, а сам съехал. Мой брат ходил в школу при Военно-морской академии, и мы думали, что так будет лучше нам всем. Но все было не так просто...

Перпендикулярно нашему дому проходила оживленная улица. Я гонял на велосипеде, изо всех силенок крутя педали и не глядя по сторонам. Водители жали на тормоза, ревели автомобильные гудки, но на моем лице расплывалась улыбка до ушей, — даже губам было больно. Мне нравилось подвергать свою жизнь опасности, это безумие приводило меня в восторг. Я не хотел умирать медленно и мучительно, задыхаясь от дефицита любви и уважения к самому себе. Но я бы не сказал, что мне надоело жить. Я проклинал Бога, что Он довел меня до такого состояния в этой жизни, в этой семье, в этом городе.

Моя мать бросила школу для медсестер и устроилась в больницу, где работала в ночную смену. Теперь я ее почти не видел. Днем она пила снотворное и спала, а затем уходила на всю ночь. Когда я просыпался, на прикроватном столике всегда лежали пять долларов.

Я брал эти пять долларов и шел в загородный клуб. Я пропадал там часами, ел и играл возле ручья. Мне нравилось загорать. Клуб открывался весной, — я был его первым посетителем и ходил туда до самой осени.

В клубе работал дворник Томми. Ему было двадцать два года, у него были длинные каштановые волосы. Пожалуй, это был самый хладнокровный человек из всех, кого я когда-либо встречал в своей жизни. Томми был малообщительным и замкнутым парнем, — он просто делал свою работу. Однажды огромный рефрижератор с надписью «Coca-Cola» нахально припарковался возле самых дверей клуба. Медленной и твердой походкой Томми направился к грузовику. Вдруг он резко остановился и огляделся по сторонам: нет ли посторонних? И тут он увидел меня. Томми улыбнулся, — это была широкая величественная улыбка Чеширского Кота. Затем он достал стальную бабочку из кармана своих шорт. Со знанием дела он раскрыл лезвие и с невероятной ловкостью, удерживая предохранитель большим пальцем руки, плавно погрузил нож в массивную черную шину. Воздух вышел с протяжным судорожным свистом, но этого никто не заметил, кроме меня. Так Томми стал моим героем.

Ночами, после закрытия клуба, я перепрыгивал через забор, и мы с Томми закуривали по сигарете. Тропически знойными, душными летними вечерами мы с ним лежали в шезлонгах, смотрели на звездное небо, слушали неумолчный стрекот цикад и погружались

В самые **худшие часы** моей жизни **я молил Бога,** чтобы **Он** послал мне **смерть.**

в транс. Я рассказывал Томми о моих злоключениях, но никогда не вдавался в подробности. А он просто слушал и не задавал лишних вопросов.

С ним я чувствовал себя в безопасности. Мне хотелось, чтобы этим ночам не было конца. Я засыпал, и Томми тоже, но потом он тряс меня за плечо и говорил: «Ладно, малыш, иди домой. Тебя ждут».

Клуб был моим храмом. В восемь лет я записался в секцию плавания. Я отзанимался уже два года, когда нам назначили нового тренера. Брайан был симпатичным волевым парнем тридцати лет с небольшим. У него была очаровательная девушка, и весь день он загорал возле бассейна, — такая у него была работа. Любо-дорого поглядеть. Я хотел *быть* таким же, как Брайан.

На следующий год Брайан сказал, что хочет взять меня в поход. Я никогда не жил в палатках и не мог дождаться назначенного срока. Но, с другой стороны, меня мучили смутные подозрения... Иногда после уроков плавания, когда другие дети шли домой, я сидел в джакузи и пытался согреться после бассейна. Мне некуда было идти. Брайан был моим товарищем, но у него была эта странная привычка. Он клал руку мне между ног и интересовался, не хочу ли я сыграть в игру «Акулята в бассейне»? Я хмурился и отнекивался. Инстинкт подсказывал мне, что Брайану стоит дать в морду, но я боялся портить с ним отношения и, надо сказать, дорожил его обществом. Поэтому делал вид, что ничего особенного не происходит.

С тяжелым сердцем я согласился идти в этот поход. Я никогда не был в подобных путешествиях, мое любопытство только росло, и, надо полагать, это было скорее упрямство, которое одержало верх над моим чувством самосохранения. Сдается мне, что у Брайана имелись очень веские основания, чтобы взять меня в поход, и он своего добился — я оказался с ним один на один в лесу, вдалеке от города, где никто не слышал моих криков о помощи.

После этого я навсегда порвал с моим кумиром, которому доверял. Брайан лишил меня детства, он украл у меня единственное место, где я мог чувствовать себя в безопасности, где я мог быть ребенком. Я забросил бассейн и спортивные соревнования.

Я хотел рассказать все Томми, но...

Был конец августа. Кто-то громко и настойчиво стучал в дверь. Я подумал, что это мой друг Тедди, но ошибся. Это была моя подружка Меган. Она получила новенькие права и звала прокатиться на машине. Я открыл дверь, и Меган спросила меня, глупо хихикая:

— Слыхал про дворника?

— Томми? — спросил я.

— Наверное, — протянула она. — Наверное, это он и есть. Дворник.

— Что? О чем ты?

— Он мертв.

— Что ты мне морочишь голову?

— Он мертв, — повторила она, нервно смеясь.

— Что за ерунду ты несешь, безмозглая сука?! Он жив! Я говорил с ним прошлой ночью.

— Ну и что с того? Он мертв.

— Он жив, мать твою!

Во рту пересохло, глаза воспалились.

— Он умер, придурок! Он упал с лестницы и свернул шею.

Я громко захлопнул дверь. Сдерживая непрошеные слезы, я слышал, как машина Меган набирает скорость и затихает вдалеке. Я вернулся в свою комнату и закрыл дверь. Меня оскорбили. Я был готов взорваться от негодования. Я свернулся калачиком и прижался коленками к полу.

«Нет, нет, нет... — я сжимал зубы и стенал. — Нет, нет и еще раз нет!»

Я начал бить кулаками по ногам — сначала по бедрам, а потом по голеням. «Нет! Нет! Нет!» Вся прежняя детскость, которая была во мне, улетучилась в тот самый день. Я гнил заживо в этом мрачном, незнакомом мире. Все, кого я знал, либо умирали, либо вели себя как подонки. В итоге я сам стал плохим. Мой характер стал плохим. Моя душа почернела.

***

В школе я был сущим наказанием. Я дрался, хулиганил, пропускал занятия, получал плохие оценки. В шестом классе меня оставили на второй год, — так учителя пытались меня воспитывать, поливая керосином мой костер стыда и одиночества. Я был несносным сорванцом.

В Огайо семидесятых и восьмидесятых годов было неслыханным делом, чтобы дети ходили в винные магазины и покупали родителям выпивку и сигареты. Однажды вместе с моим лучшим другом Тедди Папенхагеном я пошел покупать сигареты для его мамы. В магазине мы захватили еще три бутылки ликера «Mad Dog 20/20», а затем пошли в лесок и напились до чертиков. Еле стоя на ногах, мы вернулись обратно к «Арби» и слопали целый поднос картошки фри. Тедди надеялся, что закуска впитает в себя алкоголь и мама не заметит, как его развезло. Я не разделял его страхов. Мне *нравилось* быть пьяным. Это было прекрасно. Я чувствовал себя сильным, смелым и отважным. Непобедимым. Выпивка стала моим новым лучшим другом.

Вскоре я напивался практически каждую пятницу. Соседские ребята прознали, что моя мама уходит в половине одиннадцатого, и каждый вечер дом остается без присмотра. Я говорю не о хороших детях. Эти дети были такими же, как я сам, — забытыми и заброшенными, для них были хороши любые средства, только бы почувствовать себя востребованными. Когда мне предлагали кружку, банку или бутылку, я выпивал ее залпом. А потом мне предложили колеса — «желтые курточки», «черные красотки». Я проглатывал их целиком.

Я потерял девственность в двенадцать. Когда это все происходило, было здорово, но, вернувшись домой, я залез в душ и долго стоял там, шмыгая носом. Я чувствовал себя грязным. Мне казалось, что я переступил какую-то невидимую черту, которую не должен был переступать — по крайней мере, в этом возрасте. Но, в конце концов, если девчонка хотела заняться со мной сексом, — я соглашался. И далеко не всегда это были хорошенькие стройные девушки, — мне годилась любая.

У меня постоянно были девушки, и я всегда им изменял. Так появилась моя новая зависимость — желание быть востребованным. И это был самый сильный наркотик из всех.

***

Выходные пролетали в пьяном угаре вечеринок. Иногда они плавно перетекали в будние дни. Я учился в шестом классе второй год подряд и довольно часто утром понедельника приходил в школу, еще не протрезвившись после вчерашнего.

Однажды рано утром, после ночи на декседрине[4] я лежал в постели и пытался заснуть. Вчера я прогулял школу, но я никогда не любил пропускать школу два раза подряд, потому что учителя это замечали и задавали ненужные вопросы. Мое сердце колотилось, как овечий хвост, — казалось, что еще немного, и оно выпрыгнет из груди. Я перебрал с колесами, потому что никогда не умел останавливаться. Я услышал, как открываются ворота гаража — моя мама вернулась с работы, а мне пора вставать и идти в школу.

Я вылез из постели и поплелся в душ, чтобы смыть с себя запах сигарет. Затем быстро оделся, ловко разминулся с мамой и выскользнул за дверь. Попутно я захватил двухлитровую бутылку пепси из холодильника и горсть мармеладных мишек из буфета. Я часто пил пепси на завтрак — это было время конкуренции

---

[4] Дексамфетамин (декседрин) — психостимулятор.

Тогда я **уже знал,** что, если будет **драка стенка** на стенку, надо выбирать самую большую и самую *крикливую кучку* и бить **первым.**

кока-колы и пепси, и кока-кола еще не вышла из схватки победителем. Я стоял на автобусной остановке с двухлитровой пепси. На улице был сильный мороз, но мое тело и дыхание были горячечными от амфетаминов, сахара и кофеина, которые бежали по моим жилам. Мягко говоря, мне нездоровилось.

Поездка на автобусе прошла как в тумане. Подъезжая к школе, я вдруг вспомнил, что сегодня вторник. По вторникам мы ходили на мессу. Я совсем разболелся, мои нервы были на пределе. Меня бросало то в жар, то в холод. На богослужении я занял свое место на скамейке. Вдруг у меня начался такой приступ паники, каких я не знал раньше. Кругом тишина, полное безмолвие. Лишь мое сердце громко колотится в груди. Я чувствовал свое сердце, я его слышал. Потом мне вдруг показалось, что я падаю навзничь. Из горла рвался крик, но я знал, что лучше не кричать. Я живо представил себе, как они волокут меня за двери — все эти монашенки и священники, разжиревшие служители Господа. Я представил себе, как они вяжут меня в смирительную рубашку и запирают в палате с мягкими стенами. В голове сверкнула яркая, словно молния, вспышка, и снова возникло это ощущение падения навзничь. Я ловил ртом воздух, как рыба, выброшенная на берег. Рядом сидел мой друг Джо Остефи. Это был смешной мальчишка — лопоухий губошлеп, но девчонки его любили. Я схватил Джо за ногу и прошептал: «Чувак, я сейчас упаду в обморок».

— Что? — переспросил он.

— Тише! — прикрикнула учительница.

Я откинулся на скамейку, мои зубы и кулаки крепко сжимались, желудок трепыхался в судорогах. Я опять прошептал: «Похоже, я падаю в обморок».

Я приподнялся, собираясь смыться оттуда. Но Джо положил свою руку мне на плечо и сказал, ухмыляясь: «Сядь. Сядь. Что ты делаешь?» Я сел, и тут мою задницу пронзило как огнем.

— Ой-ой-ой!!!

Джо прыснул от смеха, да и другие мальчишки покатились со смеху вместе с ним. Оказывается, он исподтишка подложил мне кнопку. Боль была невыносимой. Вскоре смех затих. Над нами высилась учительница. Нас повели к директору, но зато мой панический приступ прошел. Я больше не слышал своего сердца. И не валился навзничь со скамейки. В этот момент я понял, что, когда я пытаюсь развлечь себя, страхи и ураганы в моей душе затихают.

Когда я находился в состоянии алкогольного или наркотического опьянения, мне казалось, что панические приступы под контролем и в этот момент я — душа общества, я могу говорить с кем угодно, о чем угодно, могу развлекаться. И все было замечательно до тех пор, пока мои друзья не начинали расходиться по домам.

Я снова оставался один, не мог заснуть и всю ночь смотрел телевизор в своей комнате. Как-то у меня возникла бредовая идея, что Джонни Карсон[5] — мой отец. Я выдумал эту иллюзию и лелеял ее. Она пришла мне в голову, когда я был в еще более юном возрасте, наверное лет в пять, и я носился с этой странной фантазией еще лет пятнадцать. Хвала Богу за Джонни Карсона.

У нас было всего четыре канала — ABC, NBC, CBS, PBS. Дэвид Леттерман[6] желал спокойной ночи зрителям, затем исполнялся государственный гимн, и вещание прекращалось до следующего утра. Только серая рябь на экране. Я опять оставался один.

Когда я был в одиночестве, я становился уязвимым. Тогда ко мне и подкрадывались эти невыносимые панические приступы. Они надвигались на меня, как тень товарняка. Я даже не мог выйти из дома — лишь лежал на диване и ловил ртом воздух, а мое тело корчилось в судорогах, кулаки сжимались, зубы скрежетали, желудок съеживался. Я лежал в позе эмбриона и раскачивался взад и вперед. Впрочем, я заметил, что, если достаточно крепко укусить себя за руку, приступ ослабевает, а может и вовсе прекратиться. Но чаще всего я просто накрывался с головой уродливым и тяжелым шерстяным одеялом и ждал, когда все наконец закончится. Я лежал под одеялом, кусал себя за руку и молил Бога о помощи, а когда приступ не прекращался, я роптал: «Мать твою! За что Ты так поступаешь со мной?»

---

[5] Джонни Карсон (1925–2005) — американский телеведущий и журналист.

[6] Дэвид Леттерман (р. 1947) — американский комик и телеведущий.

В самые худшие часы моей жизни я молил Бога, чтобы Он послал мне смерть.

Но в 1982 году произошло нечто удивительное: у меня появилось кабельное телевидение и приставка «Atari». А у Тедди была приставка «Activision». Вскоре появился канал MTV, и мир стал другим. Теперь я знал, что в любое время дня и ночи могу убежать от реальности. Мало что могло скрасить мое тяжелое детство: партии в теннис Джона Макинроя[7], выступления комика Эдди Мерфи[8], панк-рок, фильмы «Девушка из долины»[9], «Беспечные времена в "Риджмонт-Хай"»[10], видеоклип «Триллер» Майкла Джексона[11], брейк-данс и романтические отношения с Кори Кифер.

Но были времена, когда я не видел другого способа пережить ночь, кроме как напиться. Слишком часто, возвращаясь домой с работы, моя мама поскальзывалась на заблеванном мною полу, а я валялся неподалеку — мертвецки пьяный. Она ругала меня за весь этот бардак и боялась, что я умру, захлебнувшись собственной блевотиной.

И тем не менее надо сказать, что, если бы не эти механизмы психологической адаптации и общение с такими же сорванцами, как я сам, я мог бы закончить

---

[7] Джон Макинрой (р. 1959) — американский теннисист, бывшая первая ракетка мира.

[8] Эдди Мерфи (р. 1961) — американский комедийный актер и кинорежиссер.

[9] «Девушка из долины» — американская комедия 1983 г.

[10] «Беспечные времена в "Риджмонт-Хай"» — американская молодежная комедия 1982 г.

[11] Майкл Джексон (1958−2009) — культовый американский певец.

> **Сидение, стояние, преклонение колен** и крестные **знамения на церковных** службах **сеяли** в моей **голове сомнение и ненависть** к самому себе.

свою жизнь самоубийством. Когда мы учились в четвертом классе, мой одноклассник Чарли Во покончил с собой. Мы сидели за одной партой и были хорошими друзьями. Это была очень тяжелая потеря, но в тот момент я подумал: «Я — хозяин своей жизни, и, если понадобится, эту свечу можно задуть навсегда».

***

Когда мне было двенадцать лет, я попросил у отца кроссовки Nike, которые стоили шестьдесят долларов. Я собирался танцевать в них брейк-данс.

«Но у тебя уже есть кроссовки, — возразил он. — Зачем тебе еще одна пара этой проклятой обуви?»

«Да, у меня есть одни кроссовки», — согласился я. Но мне так хотелось иметь еще и Nike, что это желание свербело во мне, как шило в заднице. Разгорелся скандал, и отец применил ко мне свой фирменный удар, и из-за массивных золотых президентских «Ролексов» на запястье его левой руки мне было очень и очень больно. Несколько дней мы не разговаривали.

Однажды вечером, вскоре после этого эпизода он взял меня с собой в мой любимый ресторан «Дубовая бочка», где заправлял самый веселый и самый отважный человек, которого я знал. Его звали Гус. Мне незнакомы чувства других детей, когда их берут в Диснейленд, потому что я никогда не был в Диснейленде, но, переступая порог «Дубовой бочки», я радовался ничуть не меньше, чем дети в Диснейленде. В воздухе витал табачный дым, и собирались в этом заведении персонажи, достойные фильмов Мартина Скорсезе: Томми «Лицо со шрамом» Байерс, Лео «Сутенер», Рикки «Гангстер» Скавьяно, Майами Майк, Билли Скотт и Бутч Уилсон. Гус был наполовину сицилиец, наполовину грек. Его мать зналась с печально известной Пурпурной бандой Детройта. Он всегда отрицал, что замешан в мафиозных делах, но в этих делишках, несомненно, были замешаны его гости. Они водили «Каддилаки» и «Олдсмобили Торнадо». Одни носили массивные золотые цепи и «котлеты» денег. Другие наряжались в меховые шубы в пол. Я был очарован ими всеми. Эти ребята стали для меня образцами для подражания. Гус вселял в меня уверенность, — он всегда умел рассмешить гостей. Я хотел поскорее вырасти и стать таким же, как он.

И вот Гус остановился возле нашего с отцом столика. Он хорошо знал мою семью и чувствовал напряженность между папашей и мной. Я даже не поднял головы.

Гус спросил отца: «Что с ним стряслось?»

— Он хочет проклятые кроссовки за шестьдесят долларов.

Гус опустил руку в карман и достал пачку банкнот. Все-таки он был славный малый.

Отец ударил кулаком по столу: «Не давай ни цента! Хочешь помочь, дай ему работу».

Гус рассмеялся и спросил: «Тебе нужна работа?»

Я выпрямился.

— Да.

— Ты это серьезно? — захохотал Гус.

— Да.

Я хотел получить эту работу не только потому, что мне хотелось позлить отца, — я также хотел сойтись поближе с Гусом и с ребятами из «Дубовой бочки».

«Придешь завтра днем, — велел Гус. — Быть здесь к половине пятого».

На следующий день я явился на час раньше назначенного срока, и мне выдали огромный резиновый передник, который был слишком велик для двенадцатилетнего мальчика ростом один метр и пятьдесят пять сантиметров. Я могу поклясться, что этот передник весил не меньше двенадцати килограммов. Мы вязали его сзади морским узлом, чтобы он не свалился с плеч мне под ноги. Но, несмотря ни на что, у меня была работа, и я был счастлив.

Мне платили шесть долларов в час. В ту же пятницу я заработал за вечер тридцать шесть долларов, а в субботу — еще сорок два. В воскресное утро с гордо поднятой головой я явился в обувной отдел «Саутвик Молл» и громко, приказным тоном скомандовал продавцу, который был старше меня вдвое: «Принеси мне пару ярко-красных кроссовок Nike с высоким подъемом, тридцать девятого размера и на липучках».

Когда я их надел, то почувствовал себя миллионером! В тот же день я усвоил одну очень важную мысль: если хочешь что-нибудь получить, сначала поработай.

Итак, я работал ради денег и возможности уйти из дома. Но это не спасло меня от беды. Когда мне исполнилось двенадцать, меня впервые арестовали за хулиганство.

Однажды я уже попадался на краже в музыкальном магазине, но хозяева не стали вызывать полицейских. Они позвонили моей матери. Рассыпаясь в извинениях, она заплатила за украденную пластинку и, не говоря худого слова, повезла меня домой. На этом все закончилось. Теперь все было иначе. Вместе с другими сорванцами я залез в чужой дом, хозяева которого были в летнем отпуске. Я и не думал ничего воровать — мне просто захотелось пощекотать себе нервы. Мы расположились в гостиной, вылакали все спиртное и перевернули все вверх тормашками, как «цеппелины» в «Шато Мармон». Вскоре один из парней был застукан матерью с ворованным плеером «Walkman». Она позвонила в полицию, а тот парень свалил все на меня. Это была ложь от первого до последнего слова. Я был зол как черт.

Меня повезли в отделение. Но у следователей не было улик, поэтому меня отпустили. Но сначала задали мне кучу вопросов и пригрозили выбить из меня все дерьмо, что, собственно, и сделали.

Но меня уже было не остановить.

* * *

Когда мне было четырнадцать лет, мой отец вернулся обратно домой и выгнал мою мать. Она сняла

Я пишу ЭТИ СТРОКИ, и мне кажется, ЧТО **ВСЁ ЭТО** было **не** со мной, ЧТО Я **наблюдаю это** *событие вместе* с другими **детьми, раскрыв** рот **от изумления.**

квартиру, где я жил вместе с ней, сводя ее с ума своими выходками. Потом один из друзей матери высказал мне все, что он обо мне думает, и заявил, что я здесь персона нон грата. Я ушел, чтобы никогда больше не возвращаться.

Я остался жить вместе с отцом, но не продержался и двух недель. В школе я подрался с одним парнем. Его звали Билли Лючиус. Я велел ему передать его другу, чтобы тот встретил меня после занятий, потому что мне хотелось надрать ему задницу. Билли ткнул пятерней мне в лицо. Он был боксером, этот Билли, и подставил мне подножку, пытаясь свалить с ног. Я сначала отпрянул, а потом схватил его за голову и принялся бить о металлический бортик классной доски. Ученики загалдели. Когда четыре надзирательницы прижали меня к земле, я уже был весь в крови.

Билли увезли в больницу, а меня, уже в который по счету раз, потащили к директору.

После долгих препирательств — сообщать или не сообщать в полицию? — учителя позвонили моему отцу. В итоге из школы меня исключили, что было не так уж плохо, потому что эту гребаную школу я всегда ненавидел.

Что не смог сделать со мной Билли, то довершил отец. Он избил меня до полусмерти. Ночью я убежал из дома и, вернувшись обратно рано утром, обнаружил, что отец сменил замки. Так он дал мне понять, что у меня больше нет дома. Единственным местом, куда я мог пойти, оставалась работа. Я отправился в «Дубовую бочку» и рассказал Гусу, что произошло.

«Ладно, — сказал он, — живи с моей бывшей женой и дочкой».

Все это было так хорошо, что даже не верилось. Почему-то они пустили меня к себе жить. Я не спрашивал почему. Николь была на год моложе меня, и мы с ней хорошо друг друга знали, так как вместе ходили в школу. Ее мать Дебби была самой рассудительной матерью, которую я знал в своей жизни. Холодильник всегда был забит едой, по выходным Дебби жарила яичницу, она разрешала нам задерживаться допоздна и никогда не допытывалась, где мы были и что делали.

Жизнь налаживалась. Мне *не требовалось* постоянно напиваться, но если я все-таки напивался, то — до поросячьего визга. Вокруг вились девчонки, и теперь, когда я учился в девятом классе, их рядом со мной стало еще больше. Так как Николь ходила в женскую католическую школу святой Урсулы, мне открылись самые заманчивые перспективы. Я ходил в частную среднюю школу святого

Иоанна для мальчиков. Но как бы мне ни было хорошо с Дебби и Николь, я знал, что такую жизнь не назовешь нормальной. Со мной никто особо не хотел общаться.

Когда мне было пятнадцать, меня арестовали в последний раз — во всяком случае, как подростка.

Я снова подружился с Тедди. Как-то раз, когда я был на удивление трезвым, его старший брат повез нас в «Макдональдс». На заднем сиденье лежал сломанный дробовик, который брат Тедди хотел сдать в ремонт. Я не замечал ружья до тех пор, пока мы не поравнялись с тремя детьми на скейтбордах, которые что-то кричали нам вслед и показывали средний палец.

«Останови машину», — заорал я.

Машина остановилась, и я бросился к ним с дробовиком.

— А ну-ка повторите, что вы сказали, засранцы?

Я передернул затвор, хотя ружье не было заряжено. Затвор громко лязгнул. В полном ужасе дети бросились врассыпную. Я рассмеялся, сел обратно в машину, и мы поехали дальше. На обратном пути, когда мы уже практически подъезжали к улице, где жил Тедди, я заорал: «Не останавливайся!»

Пятнадцать полицейских машин перекрыли улицу. Когда полицейские нас заметили, одна из машин выехала навстречу, и погоня началась. Мое сердце было готово выпрыгнуть из груди, а брат Тедди все прибавлял газу. Мы срезали несколько углов, пока полицейские нас не настигли. На ходу я выпрыгнул из машины и побежал прятаться в колючие заросли. Я был босиком, без рубашки, острые листья резали в кровь мое беззащитное тело. Полицейские меня

> Эти дети **были такими** же, как я **сам,** — забытыми и заброшенными, для **них** **были хороши любые** *средства,* *только бы почувствовать* **себя** **востребованными.**

так и не нашли. Несколько часов они рыскали по округе, но в итоге сдались.

Что оставалось делать? Я не мог идти к Дебби и Николь. Я не хотел, чтобы они знали, что я в розыске. Поэтому, прячась за каждым углом, готовясь в любую минуту дать деру, я прокрался в дом отца, — и полиция меня не заметила. К счастью, отец тоже меня не заметил. Я пролез в дом через открытое окно и пошел в мою старую комнату. Хоть я до смерти перепугался, азарт погони кружил мне голову.

Через час в доме раздался звонок, и я услышал в холле грозный голос отца. Он говорил с сильным арабским акцентом.

— Халил?

Мать твою.

— Да?

— Стой и не двигайся.

Мать твою!

Полиция подъехала через несколько минут. Мой отец пошел их встречать, потом повернулся и направился, набычившись, обратно к дому. Он наотмашь ударил меня по затылку, сбил с ног, схватил за волосы и поволок к выходу. «Вывезите его за город, выбейте из него все дерьмо. Посадите его в тюрьму».

Судя по лицам полицейских, они здорово разозлились. Ночь я провел за решеткой, гадая, что меня ждет. На следующий день пришла мать и сказала, что мне предъявлено обвинение в покушении на убийство. Раньше я тоже арестовывался, но все обвинения снимались, и меня отпускали на поруки. На этот раз не свезло.

«Ружье не было заряжено! — кричал я. — Оно даже не стреляет!»

Мне предложили сотрудничать со следствием. Я признал свою вину в преступлении с отягчающими обстоятельствами. Единственный позитивный момент заключался в том, что мое дело хранилось в архиве, так как я был несовершеннолетним. Если меня не арестуют до восемнадцатилетнего возраста, обвинение снимается полностью.

Я не вышел на работу, и поэтому пришлось рассказать Гусу, что я натворил. Он пытался быть серьезным и даже сделал мне выговор, но не смог удержаться от смеха и попросил меня изложить все без утайки от начала до конца. Ему нравилось, что я сумел удрать от полицейских, и я могу сказать, что он был неприятно удивлен, узнав, что родной отец сдал меня полиции. Гус заверил меня, что я могу вернуться к Дебби и Николь, и я вздохнул с облегчением. Но мне было стыдно. Я повернулся и пошел к выходу, опустив голову. Вдруг Гус меня окрикнул: «Эй, малыш! Иди сюда. Держи!» И он протянул мне пачку денег. Я не помню, сколько там было, помню только чувство огромного облегчения, которое я испытал в тот момент. Точнее, это было даже не чувство облегчения, а сплошной восторг. Раньше я никогда не держал в руках столько денег. Я уставился на пачку, а Гус хлопнул меня по плечу и сказал: «Ладно, иди домой». Я понял, что сейчас расплачусь, и поспешил выйти за дверь, чтобы он не видел моих слез.

***

Практически весь девятый класс я учился в школе святого Иоанна. От меня там были одни проблемы. Я был ужасным вруном, но при этом умудрялся не попадаться на вранье. Как-то ранней весной в женской школе устраивались танцы. Тогда я уже знал, что, если будет драка стенка на стенку, надо выбирать самую большую и самую крикливую кучку и бить первым. У врагов поубавится спеси, и шансы на победу возрастут. Это был бесценный навык, потому что я не был хорошим бойцом, — я был лишь сумасшедшим и бестолковым мальчишкой, которому нечего было терять. Этот усвоенный навык помог мне упрочить свою репутацию крутого — к тому же я начал подражать Гусу и его друзьям. Я зачесывал волосы назад, бравировал грубым притворным акцентом крутого парня и таскал с собой огромную пачку банкнот (она состояла из пятерок, десяток и двадцаток, всегда прикрытых сверху сотенной).

И вот я пошел на танцы. Там собирались ребята из школы святого Франциска, с которыми мы соперничали. Они начали задираться, косо смотреть на нас, показывать пальцем и смеяться. Девочек было много, так что не было особого смысла ввязываться в драку. Но тем не менее мы в нее ввязались. В конце концов, мы были из Огайо, — что нам еще оставалось делать? Выделив самого большого и самого крикливого парня, я быстро направился к нему.

К несчастью, одна из монахинь, которая давно наблюдала за мной, разгадала мои намерения и преградила мне дорогу. Но я, разбежавшись, уже не мог остановиться. В итоге я сильно толкнул монахиню, а затем нанес большому крикливому жирдяю удар правой, угодив прямехонько в челюсть. Началась короткая потасовка, но вдруг все притихли. Мы застыли как вкопанные, увидев, что монахиня упала навзничь. Мне хотелось только убрать ее со своей дороги, но она упала на пол... и очень сильно ударилась.

Кто-то заорал: «Вызывайте полицию!» И тогда я вместе с друзьями ударился в бега.

Назавтра был понедельник. Утром меня исключили из школы святого Иоанна. И я опять каялся Гусу в содеянном, а он снова хохотал как сумасшедший. Гус перебивал меня и заставлял рассказывать историю с самого начала, как можно подробнее. И всякий раз смеялся все громче и громче.

— Ты ударил монахиню?

— Нет, — кричал я. — Я не ударял монахиню.

Он повторял свой вопрос и смеялся: «Да что же это с тобой такое? Зачем ты ударил монахиню?!»

Потом я понял, что Гус поверил, что я не хотел ударить монахиню. Он просто не мог упустить возможность вволю посмеяться.

На следующие выходные мой приятель Пит Хандворк позвал меня к себе домой переночевать.

— Ты не шутишь? — спросил я.

— Ты спрашиваешь, не шучу ли я? Я абсолютно серьезен.

Мы пошли на вечеринку, напились, я выкурил все свои сигареты, а потом мы поехали домой. В субботу утром я проснулся в их гостиной. Моя одежда была испачкана и провоняла сигаретами. Пита не было. Из коридора доносились громкие голоса, и я побрел на шум. Во рту пересохло, мне нужно было принять душ. В комнате было шумно, и, когда я проходил мимо по коридору, одна из сестер Пита воскликнула: «А вот и он!»

Я заглянул в комнату и не поверил своим глазам. На огромной мягкой белой кровати лежали: Пит, две его младшие сестренки, мама и папа. И все они смотрели утренние субботние мультфильмы. Они были в одинаковых пижамах, и вся эта сценка была до боли похожа на рекламную афишу компании «L.L. Bean»[12]. Бодрая и счастливая семья. Счастливые дети, счастливая мама, счастливый папа, собака радостно виляет хвостом. Я впал в ступор.

Мама Пита улыбнулась.

— Заходи!

— Нет, нет! — запротестовал я. Я был грязный, зубы не почистил, и мне совсем не хотелось, чтобы они почувствовали мой запах — я провонял табаком и стыдом. Эта роскошная белоснежная кровать была не для меня. Я просто стоял рядом и цепенел от изумления.

У Пита были замечательные родители. Я встал на почтительном расстоянии от их кровати, — так

---

[12] «L.L. Bean» — американская компания, которая шьет одежду для активного отдыха. — Прим. перев.

Месяцами я ЖИЛ ЭТИМИ воспоминаниями, думал о **счастливых ЛЮДЯХ,** меня трогала их любовь ДРУГ К другу, и я *понимал,* что в **моей жизни** нет **ничего подобного.**

мы и разговаривали. Они задавали мне вопросы и внимательно выслушивали мои ответы. Я не мог сдержать слез. Мне не хотелось верить, что в жизни возможно что-то подобное. Но я видел семью Пита, наблюдал их отношение друг к другу. И понимал: то, что есть у Пита, — есть у *каждого!* И осознание этого мучило меня, разбивая мое сердце вдребезги.

Месяцами я жил этими воспоминаниями, думал о счастливых людях в этой постели, меня трогала их любовь друг к другу, и я понимал, что в моей жизни нет ничего подобного. Я проклят. У меня никчемные родители, никчемная жизнь, я — неисправимый мальчишка. Жизнь вцепилась мне в глотку, и я все чаще подумывал о том, чтобы спастись бегством. Но я знал, что я — трус, и мне не хватит смелости выстрелить себе в голову. Иногда мне хотелось разбить голову о стену или прыгнуть с моста, но я ужасно боялся, что мои расчеты не оправдаются и я закончу свои дни в инвалидном кресле. И потом была еще вся эта чушь собачья, которую мне вдалбливали в католической школе, — про вечные муки, чистилище, серу и адское пламя. Вот так. Я гнил вместе со своей подлой душонкой, но был слишком труслив, чтобы положить всему этому конец. Может быть, и есть Бог на небесах, но я был уверен, что Ему на меня наплевать. Я желал убраться отсюда. Мне хотелось дезертировать.

ГЛАВА ВТОРАЯ

В шестнадцать лет я впервые узнал, как удивительна жизнь за пределами Толидо. Разумеется, я уже выезжал за черту города, но в тот раз я впервые отправился в поездку вместе с моим товарищем по работе. Его звали Тони Сонг, и он был Эдди Хаскеллом[13] корейского разлива. Я на некоторое время вернулся в дом моего отца, в ту ночь я оставался там, надеясь на примирение. Папаша к тому времени женился в четвертый или пятый раз (не знаю точно) на прелестной кореянке Тонг, и, как оказалось, она была лучшей подругой матери Тони. Когда Тони пришел к нам в гости, все обалдели. Он вел себя как хороший начитанный парень с безупречными манерами, — мой отец был тронут.

Тони сказал: «Мы вместе с Халилом поедем ко мне домой и будем готовиться к экзаменам».

— Ладно, Тони. Желаю вам хорошо провести время.

Я был разбит наголову. Во-первых, мой отец отпускал меня на ночь вместе с другом. Небывалый случай. Но это был Тони,

---

[13] Эдди Хаскелл — герой американского сериала «Предоставьте это Биверу» 1957–1963 гг.

поэтому отца можно было понять. Меня только смущало, что у нас с Тони не было занятий и экзаменов, а даже если бы они и были, наверняка я не стал бы к ним готовиться. Я был круглым двоечником и перебирался из класса в класс только по той причине, что учителя знали, что связываться со мной — себе дороже.

Когда мы сели в машину Тони — а это была BMW 525i, — я сказал: «О чем ты? Какой экзамен?»

— Не беспокойся.

С этими словами он рассмеялся и протянул мне фляжку.

— Пей.

Я выпил без тени сомнения. Не знаю, что это было, но напиток обжег мне горло. Тони тронулся с места, мы разговорились и так увлеклись выпивкой, что я даже не заметил, как мы выехали на шоссе I-75 Север. Наконец я собрался с духом и спросил своего спутника: «Сынок, а куда мы, собственно, едем?»

— Не беспокойся. Пей.

Через сорок минут мы были в центре Детройта. Тони думал, что это такое забавное приключение, я же понятия не имел, что происходит. Мы ехали по пустынным, заброшенным улицам Детройта. Мертвые дома смотрели на нас пустыми глазницами. Мела метель. Потом мы остановились, вышли из машины и оказались в занесенном снегом переулке, между двумя большими зданиями из красного кирпича. В этом месте не было ни огней, ни дорожных указателей. Но тут я заметил группу людей, — они все были одеты в черное, стояли рядом и курили.

Тони протолкнулся сквозь толпу к входу. Охранник проверял паспорта.

Мне нравилась **катарсическая, проникновенная** музыка, и все **же она** **была довольно** мрачной и **усугубляла мою** **депрессию.**

Я схватил Тони за руку.

— У меня нет с собой паспорта, дружище.

Тони снова рассмеялся. Приближаясь к здоровенному охраннику, я понял, что у меня снова начинается панический приступ. Когда подошла наша очередь, охранник спросил: «Парни, сколько вам лет?»

— Пятьдесят, — ответил Тони и сунул вышибале пятьдесят долларов.

— Хорошо, — сказал он. — Проходите.

Я испытывал некий благоговейный восторг, когда мы прошли внутрь и спустились в подвал этого мрачного зловещего здания. Внизу была большая просторная комната. В темноте клубился дым. В танцзале было чертовски холодно. Музыка била в грудь. Звучала песня, которую я никогда не слышал раньше, но она меня завораживала. Я ощущал, как вибрирует каждая клеточка моего существа.

Это была *настоящая* музыка, а не то фуфло, которое крутили на радиостанции WIOT в Толидо (Journe[14], REO Speedwagon[15], Foreigner[16]). Я никогда не понимал, что за пургу несут эти группы, мне было пофиг. Но это была минута моего воскресения. Я перестал бояться. Я был свободен. Слова читались нараспев, но я не буду их повторять. Это Иэн Кертис[17] умер за мои грехи, а не Иисус Христос. Я всегда подозревал, что буду гореть в аду, но теперь я хотя бы знал, что у меня там найдется компания. Этой ночью, в мрачном, заброшенном подвале моя жизнь была спасена. На этот раз все было по-взрослому. Я открыл для себя замечательную музыку: The Cure[18], Sisters of Mercy[19], The Smiths[20], Front 242[21], The Cult[22], Communards[23] и так далее. Я слушал все это с совершенно незнакомыми

---

[14] Journey (с 1973 г.) — джаз-рок группа, основатели Нил Шон и Росс Вэлори.

[15] REO Speedwagon (с 1967 г.) — хард-рок группа, основатели Нил Даути и Алан Грацер.

[16] Foreigner (с 1976 г.) — хард-н-хеви и софт-металл. Основатели Мик Джонс и Иэн Макдональд.

[17] Иэн Кертис (1956—1980), британский музыкант, автор песен группы Joy Division.

[18] The Cure (с 1976 г.) — британская рок-группа, основатели Саймон Гэллап и Роберт Смит.

[19] Sisters of Mercy (с 1977 г.) — британская панк-группа, основатель Эндрю Элдрич.

[20] The Smiths (с 1982 г.) — британская рок-группа, основатели Стивен Моррисси и Джон Маер.

[21] Front 242 (с 1981 г.) — бельгийская электронная музыка, основатели Даниэль Брессанутти и Дирк Берген.

[22] The Cult (с 1981 г.) — британская рок-группа, основатели Иан Эстберн и Билли Даффи.

[23] Communards (с 1985 г.) — британская группа синти-поп, солист Джимми Сомервилль.

мне ребятами, которые были близки мне больше, чем все остальные. Они правильно поняли, кто я такой, и я, в свою очередь, хорошо понимал их. Эти группы пели песни моего сердца, моей печали, моего одиночества, моей жизни. Я ощутил огромное облегчение. Это было крещение огнем.

Мы разошлись под утро, незадолго до закрытия клуба. Когда мы с Тони шли к двери — усталые, но счастливые, — я узнал, как называется этот клуб. Он назывался «Приют».

Иначе и быть не могло.

***

В последующие годы я бывал там при первой же возможности, даже после того как меня выгнали из школы святого Иоанна. Я перевелся в массовую школу Боушер и пропускал одно занятие за другим. Но поскольку там учились такие же неблагополучные дети, я не отсвечивал, как бельмо на глазу. Но все равно было уже слишком поздно... Дело в том, что когда меня перевели обратно в шестой класс, я сдался. Каждую неделю я пропускал один день занятий, и эти пропуски вошли у меня в привычку. Я полностью разочаровался в школьном образовании. Меня с треском выгнали из выпускного класса после первого полугодия.

Когда я не ездил в «Приют», я ходил на концерты — Echo & Bunnymen[24] в Анн-Арбор, Depeche Mode[25]

---

[24] Echo & Bunnymen (с 1978 г.) — британская пост-панк группа Иэна Маккаллоха.

[25] Depeche Mode (с 1980 г.) — британская электроник-рок-группа, основатели Винс Кларк и Эндрю Флетчер.

в Детройте. Однажды вечером я увидел New Order[26], Public Image Limited[27] и Sugar Cubes[28] — всех в одной концертной программе под открытым небом в пригороде Детройта. Удивительно, как мне становилось хорошо, когда я погружался в музыку, и как мне было дерьмово в обычной жизни. Музыка меняла мир. С ней он выглядел более сносным, музыка давала возможность убежать от реальности. Но я безнадежно застрял в Толидо, штат Огайо.

К позднему подростковому возрасту я уже до предела нахлебался всякой дряни, которая творилась со мной с малых лет, — сексуальное, психологическое и физическое насилие, полное равнодушие... И я уже смирился с мыслью, что так будет всегда. Мне нравилась катарсическая, проникновенная музыка, и все же она была довольно мрачной и усугубляла мою депрессию. Мои панические атаки исчезли только для того, чтобы уступить место тяжелой нескончаемой депрессии и непреодолимому отвращению к самому себе.

Только самовыражаясь, я чувствовал себя лучше, но в этом самовыражении таилась как сила, так и опасность. Я страстно желал сильных ощущений, которые вызывает адреналин. Я общался с торговцами марихуаной, со сбытчиками краденого и поджигателями. Я связался с криминальными личностями и падал вниз, но мне никогда не приходило в голову, что можно

---

26 New Order (с 1980 г.) — британская электроник-рок-группа, основана Бернардом Самнером, Питером Хуком и Стивеном Моррисом после распада Joy Division.

27 Public Image Limited (с 1978 г.) — британская рок-группа, основана Джоном Лайдоном после распада Sex Pistols.

28 Sugar Cubes (с 1986 г.) — исландская группа, где была участницей певица Бьорк.

погибнуть. Меня слишком ужасала мысль, что такая жизнь будет вечной. Будущее меня не привлекало.

Потом в 1987 году меня пригласили пожить в Калифорнии. Мне было семнадцать, и мой друг Кенни, студент художественной школы на Западном побережье, предложил мне выбраться из города и провести с ним несколько дней, а затем вместе вернуться в Толидо. Поездка из Огайо в Калифорнию, пусть даже на три дня, напомнила мне переход от черно-белого изображения к цветному изображению Technicolor. Проблеск красивой жизни пьянил. Историю делали в Калифорнии: там была музыка, фильмы, фотомодели. Мне безумно хотелось вписаться в эту заманчивую жизнь.

Прошло несколько лет, и все эти годы я кричал на всех перекрестках, что переезжаю в Калифорнию. Это было мое заклинание. Но оно быстро превратилось в притчу во языцех. Я часто мечтал, как снимусь с места и уеду, но продолжал тянуть лямку, работать на тех же гребаных работах, вести тот же нищенский и саморазрушительный образ жизни. Мне было около двадцати одного года, когда вместе с моей девушкой Клаудией (впрочем, их было много) мы пошли смотреть фильм «The Doors». Когда Вэл Килмер[29] с музыкантами запели песню «The End», я сидел не шелохнувшись. С экрана неслось:

> *На западе лучше всего,*
> *На западе лучше всего,*
> *Поедем туда и там сделаем все остальное.*

---

[29] Вэл Килмер (р. 1959) — американский актер, исполнитель роли Джима Моррисона в фильме «The Doors».

Только самовыражаясь, **Я ЧУВСТВОВАЛ** себя лучше, но **В ЭТОМ** самовыражении **таилась** как сила, **так и опасность.**

Я повернулся к Клаудии и прошептал: «Я должен идти».

— В туалет?

— Нет, — сказал я. — Я должен идти. Я должен убраться отсюда. Я должен ехать в Калифорнию.

Она вежливо кивнула головой, не желая спорить со мной. Мне же казалось, что мои слова самые убедительные, что я говорю откровенно и от чистого сердца, но моя девушка слышала это уже много раз. Я говорил, что иду домой собирать вещи, а вечером я уезжаю. И при этом сидел на месте. Кишка у меня была тонка.

Я загудел по-черному в надежде залить полыхавший во мне костер, но это было все равно что пить бензин. Костер только разгорался и горел все жарче. Неделя вращалась вокруг вечеринок. Во вторник вечером я вез своих друзей в клуб «Зиг-Заг» в Боулинг Грин. В четверг мы ехали в Анн-Арбор и бесновались на танцполе «Нектарин». В пятницу была таверна «У Никки» и «Приют» в Детройте. Я танцевал как лунатик, растворяясь в музыке, натыкаясь на каких-то типов, ввязываясь в драку. Не важно. Еще больше дров для костра.

Напиваясь, я всегда пытался нащупать равновесие между беспамятством и ясностью. Но редко добивался цели. В три часа ночи я стоял на коленях или сворачивался в позе эмбриона на полу, а стены ванной вращались вокруг, и я молился фаянсовому божку.

Через год после просмотра фильма «The Doors» я гулял на свадьбе с друзьями жениха. Я пил, потому что мне казалось, будто все глазеют на меня как на отщепенца. Мне чудилось, что все эти люди спрашивают друг друга: «А что здесь делает *этот* недотепа?» Занимая оборонительную позицию, я пил все больше и орал все громче. Наконец мне надоели эти косые взгляды. Я поднялся из-за стола.

— К черту! Едем. Едем в Детройт.

Вшестером мы погрузились в машину, и я, оглушенный алкоголем, погнал в «Приют». Всю дорогу мы пьянствовали и только каким-то чудом добрались до места живыми и здоровыми. Когда «Приют» закрылся, мы отправились в Гриктаун на поиски ночного бара. Машина моталась из стороны в сторону, попутчики просили меня остановиться. Их рвало. Я пребывал в пьяной одури, но вдруг меня осенило. Я остановился, вылез и бросился грудью на капот припаркованной машины.

— Валим отсюда! Мы все умрем в этом гребаном городе! Парни, вы собираетесь умереть в этом сраном, забытом Богом городишке или хотите уехать и жить как люди? Валим отсюда! Я уматываю отсюда.

Все мои друзья захохотали.

— Ты никуда не едешь.

— Нет же, мать вашу, — горячился я. — Мы расстаемся.

— Что ты говоришь? И куда ты намылился?

— Я уезжаю в Калифорнию! — закричал я. — Еду в Лос-Анджелес.

Они смеялись все громче.

— Да врешь ты все. Врешь много лет.

Это была настоящая пощечина. Никто еще не оскорблял меня таким образом. Я уже четыре года повторял, что переезжаю в Калифорнию, и все всегда кивали в ответ и понимающе улыбались. Теперь же приятели говорили, что я заврался. Что я несу чушь. А хуже всего было то, что я, скорее всего, останусь в Толидо навсегда.

— Черт с вами, — сказал я. — Я уезжаю.

— Ясно, Халил. А когда? Когда ты уезжаешь?

— Завтра отчаливаю.

— Эй, парень, спокойно. Ты никуда не едешь.

Это говорил мой друг. Но в этот момент я вспоминал все негативные моменты своей жизни, свои самые ужасные страхи.

— Завтра отчаливаю, — повторил я. — Кто со мной?

— Кстати, а почему бы и нет? — ржали приятели в пьяном угаре. — Едем!

На следующее утро я проснулся в квартире матери. Голова разламывалась с бодуна. Я не помнил, как сюда попал, как вернулся обратно из Детройта. Но зато я помнил, как стоял на капоте машины и кричал, что завтра уеду в Калифорнию. И это завтра было уже *сегодня*. Мысль о том, что сегодня опять придется тащить свое бренное тело на эту гребаную работу, была невыносима. Официант в ресторане, гипсокартонщик и даже торговец марихуаной — все эти виды деятельности вызывали у меня ноль положительных эмоций и кило презрения.

Я залез в душ и тщательно вычистил зубы. Мне казалось, что так я быстрее протрезвею, но я ошибся.

Парни, вы собираетесь умереть в этом забытом Богом городишке или хотите уехать и жить как люди?

Я взял кое-какие свои вещи, которые лежали у матери, и сложил их в багажник. Мне был двадцать один год, у меня было шестьсот долларов за душой, но не было ни карты, ни планов. Что я делаю? А может, меня кто-нибудь остановит и будет умолять остаться? Мне нужен был такой человек. Но его не было. И поэтому я ехал в Калифорнию. Я был слишком горд и упрям, чтобы сделать вид, что прошлой ночью ничего не произошло.

Мой отец уходил на работу в пять часов утра. Он был чертовски пунктуален и никогда не опаздывал. Он проходил мимо моей машины, когда я стоял на парковке.

Я просигналил и опустил стекло.

Он остановился.

— Чего тебе?

— Еду в Калифорнию.

Он равнодушно заглянул в мою машину. Я набил рюкзак одеждой и предусмотрительно захватил подушку. Отец глядел на мои вещи через заднее стекло.

— Удачи.

И пошел восвояси.

Я не верил своим ушам. С одной стороны, я нисколечко не удивился, но в глубине души я все-таки надеялся, что он окажется папой, который был мне нужен. Слезы застилали глаза, но я продолжал ехать и выехал на шоссе 70—80 к западу. Я продолжал рыдать, но был совершенно уверен, что не остановлю машину. Я знал, что если остановлюсь, то навсегда останусь в Толидо.

Я курил одну сигарету за другой и пил диетическую колу, чтобы не заснуть. Я практически доехал до Иллинойса, когда пришлось остановиться на ночлег. У меня болела голова с тяжелого похмелья, я был весь на нервах. Сняв номер в Шестом мотеле, я включил телевизор и рухнул в постель.

По телевизору шел фильм с Бертом Рейнольдсом[30]. Герой хочет покончить с собой. Он привязывает к ноге кирпич и прыгает в океан. Впрочем, в последнюю минуту он передумывает. Это было последнее, что я запомнил перед тем, как провалиться в сон. Проснулся я оттого, что вся комната была в дыму. Глаза покраснели. От запаха горелого пластика першило в горле. Из динамика загоревшегося телевизора Фрэнк Синатра[31] пел песню «My Way». Но тут экран потух, и из задней крышки телевизора полыхнул огонь. Я протер глаза и попытался осмыслить ситуацию.

Спросонья я стал звонить портье.

---

[30] Берт Рейнольдс (р. 1936) — американский актер, дебютировал в фильме «Ангельский ребенок».

[31] Фрэнк Синатра (1915—1998) — американский певец и продюсер.

— Привет. У меня горит телевизор.

— Очень весело.

И повесил трубку.

Я перезвонил, и портье огрызнулся: «Чертовы дети, вы прекратите или...»

— Моя гребаная комната в огне! — орал я.

Раздался стук в дверь. В номер ворвался портье с огнетушителем в руках и залил телевизор пеной. Он ругался на чем свет стоит, как будто я был виноват, что эта чертова штуковина загорелась. В коридор выбежали постояльцы, которые пытались понять, что стряслось. Я безумно устал. Мне очень хотелось пить, в глазах двоилось. Вся эта бессмыслица напоминала ночной кошмар после колес. Или это случается со всяким, кто хочет сбежать из Толидо?

Я переселился в другую комнату и проспал как убитый до полудня. Проснувшись, я не сразу понял, где нахожусь. В комнате были поклеены пожелтевшие от сигаретного дыма виниловые обои, нависал акустический натяжной потолок в странных разноцветных разводах — я не хочу думать, что это за разводы и откуда они взялись. Затхлый воздух отдавал нищетой. А потом все снова на меня навалилось.

— Боже мой! — простонал я, схватившись за голову. — Какого черта я делаю? Чем я думал? Это безумие!

Никто не сказал мне, что все образуется. Что все будет хорошо. Был только я и больше никого.

Что мне делать?

Заказав самый большой стакан кофе в «Макдональдсе», я вернулся обратно на дорогу.

На запад.

Чем дальше я отъезжал от родного города, тем больше мои мысли об отце и мое прошлое тянули меня назад. Но я не останавливался. И тут случилось кое-что забавное. Я мчался по автостраде в потоке других машин и ощутил легкое покалывание в желудке. Мое возбуждение постепенно перевешивало страх. Азарт становился сильнее ностальгии.

Во время этой поездки я даже не прислушивался к музыке. Убаюкивающее мерцание разделительных полос и чувство одиночества, которое я никогда не испытывал до сих пор, вызывали сонное оцепенение. Я всегда искал новые способы бегства от реальности — алкоголь, наркотики, скандалы, девочки, — так я пытался избавиться от чувства одиночества и отчужденности. Но, направляясь на запад, находясь наедине с самим собой, я вдруг понял, что чувствую себя вполне удовлетворительно. В итоге я понял, какого демона изгнал из себя, покончив с никчемным и жалким прозябанием в Толидо.

Слушая свою музыку — Big Audio Dynamite[32], Killing Joke[33], Jane's Addiction[34], The Pixies[35] и так далее, я снова и снова ставил песню «Rush» группы Big Audio Dynamite.

Я не могу продолжать, поэтому я сдаюсь,
Нужно прямо сейчас убраться отсюда.

Я опустил стекла и сделал погромче. Стоял октябрь. От пейзажей за окном захватывало дух. Когда

---

[32] Big Audio Dynamite (с 1984 г.) — британская пост-панк группа, основана Миком Джонсом.

[33] Killing Joke (с 1978 г.) — британская рок-группа, основатели Джереми Коулман и Пол Фергюсон.

[34] Jane's Addiction (с 1985 г.) — американская группа альтернативного рока, основатель Перри Фаррелл.

[35] The Pixies (с 1984 г.) — американская альтернативная рок-группа, основана Чарльзом Томпсоном и Джо Сантьяго.

я останавливался, чтобы перекусить или заправить машину, никто не бросал на меня косых взглядов, никто не шептал за спиной про «плохого парня». Попутчикам передавался мой энтузиазм, моя страсть и целеустремленность. Мне улыбались. У меня была цель, и люди тянулись ко мне.

Когда мне хотелось немного развеять тоску, я ставил «The Last Night On the Maudlin Street» группы The Smiths:

> *...когда мы гуляли последнюю ночь,*
> *На Модлин-стрит, я сказал:*
> *«Прощай, дом, навеки!»*
> *Я не знал ни минуты счастья*
> *У нас на районе.*

Я подпевал и плакал, но это были уже не те слезы, которые стояли в моих глазах, когда отец пожелал мне удачи и пошел своей дорогой. Это были слезы радости. Слезы избавления. Груз одинокой, депрессивной и убогой жизни, которую я влачил двадцать один год, свалился с моих плеч.

Но я перехитрил самого себя.

Не спорю, я оставил позади Толидо и людей, которые причиняли мне боль, но я так и не избавился от своего прошлого. И за эту безумную авантюру чуть не поплатился своей жизнью.

ГЛАВА ТРЕТЬЯ

Было уже далеко за полночь, когда я въехал на последний стокилометровый отрезок пути, отделявший меня от Лос-Анджелеса. Я не помню, какой это был холм, гора, перевал (думаю, это было где-то возле Помоны), но я никогда не забуду того чувства, с каким я пересек горы и начал спускаться вниз к океану. Иногда Вселенная и Бог играют роль диджеев в нашей жизни. Этот момент был именно из таких. Заиграла «Mountain Song» группы Jane's Addiction. Я врубил динамики на полную мощность и глазел на эти бескрайние огни, десятки миллионов мерцающих огоньков. Я не мог в это поверить; ведь я и не подозревал, что город так огромен. Я перематывал пленку назад, слушал песню опять и опять, подпевал во все горло. Стекла в машине были опущены. Я курил. По всему телу бегали мурашки. А мое лицо расплывалось в широченной улыбке.

Я приехал, сукины дети. Я здесь! Я приехал...

Первую ночь я спал в машине, где-то возле университета Южной Калифорнии. На следующий день я позвонил моему другу Кенни, студенту художественного института, у которого гостил четыре года назад.

Он вроде согласился меня принять.

«Разумеется, можешь располагаться у меня», — сказал он, но его голос звучал как-то странно. Когда я приехал к нему, он показался мне каким-то нервным и дерганым.

Так продолжалось два дня. Потом я не вытерпел и спросил: «Эй, парень, что не так? Ты вроде говорил, что я могу приехать в любое время, но у меня такое впечатление, что ты мне не рад».

Он замялся: «Приезжает Аманда».

Аманда была одной из моих бывших подружек.

— Какого черта? Зачем ты сказал ей, что я здесь?

— Нет, — сказал Кенни, — она приезжает ко мне. Не к тебе.

Упс.

Приехала Аманда, и вся эта и без того дерьмовая жизнь сделалась совсем странной. Они с Кенни на весь день запирались, а я лежал, смотрел в потолок и размышлял: «Не совершил ли я большую ошибку, уехав из Толидо?»

Дин, сосед Кенни, сочувствовал мне.

— Чувак, собирайся и переезжай ко мне в мастерскую.

— Ты серьезно?

— Конечно. Собирай вещи.

И моя жизнь на Западном побережье началась с этого маленького акта человеческой доброты.

***

За первые полтора года у нас в Калифорнии были: демонстрации в Лос-Анджелесе, один из самых тяжелых лесных пожаров в истории Малибу, когда выгорели почти семь тысяч гектаров леса, сильное землетрясение, которое разрушило целые участки дорог, изменило

Я никогда **не забуду** того чувства, с **каким я** пересек **горы** и начал **спускаться ВНИЗ** к океану.

течение Эль-Ниньо и привело к оползням и наводнениям. В Огайо было невыносимо скучно, но зато безопасно: зимняя метель и невесть откуда налетевший смерч — это худшее, что нам там угрожало. В мою голову порой закрадывалась непрошеная мысль: «Неужели моя поездка в Калифорнию — идиотская и бессмысленная затея?»

Я снял комнату в каньоне Санта-Моника за пятьсот долларов в месяц и устроился менеджером ресторана, что на пересечении Монтаны и Пятнадцатой улицы. Так что деньги у меня были. Моя комната находилась в разваливающемся старинном особняке, который стоял на берегу и выходил на Энтрада Драйв. Он принадлежал поместью, которое Уильям Рэндольф Херст[36] выстроил для своей любовницы Мэрион Дэвис[37]. Сегодня этот дом — историческая

---

[36] Уильям Рэндольф Херст (1863—1951) — американский газетный издатель и медиамагнат.

[37] Мэрион Дэвис (1897—1961) — американская комедийная актриса немого кино.

достопримечательность, но в начале девяностых годов это была настоящая клоака, а моя комната представляла собой грязную помойку. Но *только оттуда* открывался панорамный вид на океан, и я очень гордился, что живу в этой самой комнате.

Остальные жильцы были персонажами эксцентричными. Они определили для меня Калифорнию: высоченная блондинка ростом метр восемьдесят, которая училась в Калифорнийском университете, профессиональная волейболистка, нищий сценарист и подающий надежды продюсер. Через два квартала был пляж. Наконец-то я смог зарыться ногами в песок и полюбоваться на океан.

Может быть, после всего пережитого моя жизнь *налаживается*? Иногда у меня случались периоды трезвости, но я регулярно присоединялся к жильцам, чтобы пропустить несколько стаканчиков и покурить травы. В итоге я постоянно злоупотреблял (отвратительное зрелище, признаюсь). Меня рвало, я терял сознание или — и то и другое.

Через несколько месяцев после переезда я позвонил моей бывшей подружке Клаудии. Она была студенткой университета в Мичигане. Я сказал ей, что я скучаю, что люблю ее и прошу навестить. Потом из университета ее исключили, она переехала в Калифорнию и стала жить вместе со мной.

Это был настоящий ужас. Мы постоянно дрались. Еще до ее приезда я предчувствовал, что все так и получится, но мой страх перед одиночеством заглушал голос разума.

Меня уволили из ресторана. Все-таки мой отец научил меня кое-чему хорошему — колоссальной трудовой дисциплине и внимательности. И я рассказал хозяину, что его персонал пьет очень дорогое вино, а официанты обкрадывают посетителей — иногда даже на сто долларов. Я был абсолютно уверен, что он разозлится и разгонит воришек, а он разозлился и уволил меня. Наивный провинциал, я упустил из виду, что все сотрудники, в том числе сам хозяин, торгуют из-под полы кокаином и плевать хотели на дорогое вино. Поэтому-то и счета были завышены на сто долларов.

Мы с Клаудией решили сменить обстановку. Волейболистка переезжала в Малибу и искала людей, с которыми будет снимать жилье, — и мы поселились с ней в одной квартире. Оставалось только понять, как платить за аренду.

Подозреваю, что к этому времени я стал плохим работником. Не потому что я был ленивым или нечестным — ничего подобного. Но когда я видел, что со мной обращаются несправедливо или делают глупости, я не мог держать язык за зубами. Поэтому я всегда конфликтовал с коллегами и управляющими. И тогда я решил работать на себя.

Я всегда гордился тем, что на моей машине нет ни единого пятнышка. Я хорошо о ней заботился. Даже когда моя личная жизнь лежала в руинах, моя машина была безупречна. Я знал все обо всех моющих средствах, разбирался в марках шин, умел ухаживать за кузовом и салоном. Словом, моя машина выглядела так, как будто только что сошла с конвейера. По дорогам Малибу бегали «Порше», «Феррари» и «Ламборджини», и я знал, что если человек захочет заработать — он сможет это сделать. Я напечатал листовки и принялся ходить от двери к двери, предлагая услуги мойщика автомобилей.

Я быстро **разочаровался** в честной работе **и понял, какие** выгоды мне сулит наркобизнес.

Обратная связь была мизерной, — жителям Малибу *не* нравилось, когда я стучался к ним в двери и предлагал помыть их машины. Время от времени мне попадались замечательные или просто одинокие люди, которые соглашались на мое предложение. Иногда они даже приглашали меня позавтракать. Но моих заработков не хватало даже на оплату счетов. Это было форменное разорение, — я был уверен, что и от листовок, которые я клал под «дворники» машин потенциальных клиентов, тоже не будет никакого толку.

Однажды я катил вниз по бульвару Санта-Моника и увидел вывеску «Порше». *«Почему бы не напиться из ручья?»* — подумалось мне. Я зашел внутрь и начал заговаривать работникам зубы, — стал им рассказывать, как был владельцем «Автоняни» — лучшей мойки в Лос-Анджелесе и, возможно, на всем Западном побережье. В общем, я предложил им свои услуги. Меня познакомили с Лоди. Лоди был администратором по сервису. Тут я снова принялся за свою хвастливую болтовню, но он меня перебил.

«У вас есть помещение?» — спросил Лоди.

Какого черта? На мне была моя лучшая одежда — шорты хаки, рубашка с воротничком, мокасины — и этот чувак думает, что я — бомж?

— Конечно, у меня есть помещение.

— Где?

Я дал ему адрес моей квартиры.

Он нахмурился.

— Странно. Никогда не слышал о нем.

Я смутился. Он едет смотреть мою квартиру? Вспоминая этот случай, я понимаю, что ему просто хотелось узнать, есть ли у меня гараж — помещение, где машины будут под замком, в безопасности, а я чуть не запорол всю затею, уверяя его, что такой гараж у меня есть.

Лоди швырнул мне связку ключей и ткнул пальцем в новенький «Порше Каррера».

— Заберешь его на ночь, а завтра пригонишь обратно.

Я был в шоке. Я помчался домой и взял Клаудию, чтобы она приехала обратно на моей машине, пока я поеду на «Порше». Затем я надраил эту машинку до блеска. Она была чище, чем в шоу-румах.

На следующий день я пригнал машину Лоди. Он даже не взглянул на нее.

— Сколько? — спросил он.

Я знал, что полагается завышать цену, так как ее всегда можно сбить.

— Тридцать девять долларов девяносто пять центов, — сказал я.

Он расхохотался.

— Почему не просишь сотку?

— Что же, от сотки не откажусь.

Я был близок к обмороку.

Он выписал мне чек и кинул другую связку ключей.

Через короткое время я зарабатывал 125, 150 и даже 225 долларов за одну машину. Затем Лоди порекомендовал меня автосервису BMW. Тогда я был им не нужен, но через несколько месяцев они позвонили.

— Вы еще моете машины? У нас есть клиент в Бель-Эйр, им там нужны мойщики. Можете подъехать и помочь?

— Разумеется, — сказал я. — Это моя работа.

Мне дали адрес, и я поехал на зеленые холмы Бель-Эйр, где растут огромные величественные деревья и за гигантскими живыми изгородями прячутся величественные особняки. Ландшафт потряс мое воображение. Люди, обитающие там, не были богатыми. Они были *состоятельными*. Подъездные дороги вели к массивным воротам под камерами наблюдения. Я разыскал нужный дом. Мне открыл молодой парень Тим. Меня шокировало, что весь персонал состоял из молодых гомосексуалистов, но мне была нужна работа, и поэтому я не обратил на это особого внимания. Я отполировал голубую BMW 325i, а когда закончил, Тим предложил выслать чек по почте.

— По почте? Нет, я сделал свою работу. Вы должны выписать чек.

Тим немного замялся, но чек был выписан, и я быстро удалился, пока не сказал лишнего.

Через пять дней Тим позвонил снова.

— Ларри хочет отполировать машину.

— Но я полировал ее на днях, — возразил я.

— Ну, он хочет еще разок. Вы не могли бы подъехать?

— Слушай, парень... Машину надо полировать три раза в год, ну, может быть, четыре. Но если он хочет еще разок, воля ваша. Выезжаю.

И я снова отполировал эту машину. Я недоумевал, потому что на ней не было ни пылинки, не то что грязи.

Когда я закончил, Тим спросил: «Мы вышлем чек по почте? Пожалуйста. Так проще для бухгалтера».

Я был очень смущен. Почему они не могут просто выписать этот проклятый чек?

Он продолжил: «Было бы здорово, если бы вы приезжали каждую неделю и полировали все машины».

Каждую неделю? Я был уверен, что они все под наркотой, но мне не хотелось упускать такую возможность. И кто я был такой, чтобы судить?

«Ладно, высылайте чек по почте. Буду на следующей неделе».

Когда прислали первый чек от бухгалтерской фирмы в Беверли-Хиллз, там стояла фамилия, похожая на еврейскую. Но ни один из этих парней даже отдаленно не был похож на еврея. Эти сумасшедшие гомики помешались на полировке машин? Но чек обналичили. Остальное меня не интересовало.

Через несколько недель Тим спросил: не полирую ли я мотоциклы? Похоже, эти ребята просто спятили. Один из мотоциклов назывался «Багровая страсть», и, судя по его внешнему виду, на нем никто еще не ездил. Тим открыл гараж, и я принялся за работу. Потом пришел один человек из персонала. Он отличался от всех остальных. Было понятно, что он — не гомосексуал. Его волосы были растрепаны, изо рта торчала сигарета, он был одет в белую футболку с желтыми пятнами под мышками. Он смотрел, как я полирую, задал несколько вопросов, подошел к холодильнику и открыл его.

— Эй, парень, — сказал я. — Что ты делаешь?

Он пристально поглядел на меня.

— Мне нужна кока-кола.

— Нет, нет, извини.

— Как это? — спросил он.

— Видишь ли, — сказал я. — Я здесь работаю. Это моя территория. И я отвечаю за нее. Мне жаль, но ты не можешь взять кока-колу. Скоро у меня будет обед, и я могу захватить тебе из магазина.

Он захлопнул холодильник и посмотрел на меня еще более внимательно. У меня возникло ощущение, что он хочет подраться или что-то в этом духе. Я разозлился, потому что увидел, что он все-таки взял кока-колу. В обеденный перерыв я захватил бутылку в магазине и аккуратно восполнил недостачу.

Тим позвонил поздно вечером.

— Ларри хочет нанять тебя на полный рабочий день.

— Кто такой Ларри? — спросил я. — Парень, который присылает чеки?

— Нет, — снисходительно возразил Тим. — Для этого у нас есть бухгалтер. А это Ларри, он здесь живет и хочет, чтобы ты работал у него.

— Нет. Мне жаль, но у меня свой бизнес.

— Хорошо, а ты не можешь побыть у нас некоторое время? Наш дворецкий вернулся обратно в Шри-Ланку, и нам срочно нужен человек на его место.

— Тим, я очень занят.

— Мы будем платить тебе восемьсот долларов в неделю.

Я что-то пробормотал и положил трубку. В 1993 году восемьсот долларов в неделю были для меня целым состоянием. В итоге я согласился. Я полировал машины и делал все, что потребуется для этого Ларри, кто бы

Все-таки мой **отец научил** меня кое-чему **хорошему — колоссальной** трудовой **дисциплине** и внимательности.

он там ни был. Через две недели после начала работы я шел через двор, и вдруг распахнулась калитка. Обычно она была заперта. Вдруг оттуда выскочила белая собачонка и побежала ко мне. Я наклонился ее погладить и, когда поднял голову вверх, увидел, что передо мной стоит Элизабет Тейлор[38].

— Привет, — сказала она.

Я лишился дара речи. Она была умопомрачительно красива и элегантна. И выглядела как произведение искусства.

Я пропищал: «Привет».

Она знала, какой эффект произвела. Элизабет усмехнулась, подозвала собачку и пошла к дому.

Я побежал обратно и разыскал Тима.

— Это дом Элизабет Тейлор?!

— Говори потише, — усмехнулся он. — Да, это ее дом.

---

[38] Элизабет Тейлор (1932—2011) — американская актриса, трижды лауреат премии «Оскар».

— Почему ты не сказал раньше?

Он наморщил лоб.

— Мы думали, тебе известно. Ты не знаешь, кто такой Ларри? Ларри Фортенски?[39]

— Я из Огайо! Я не обязан знать всех!

Меня ждали большие перемены.

***

Я продолжал работать на Элизабет Тейлор, и вскоре поползли слухи, что я очень хорошо слежу за ее машинами и домом. Вскоре под моим началом был самолетный ангар машин Слэша из Guns N'Roses[40]. Потом я стал полировать машины Эксла Роуза в его гараже в Малибу. В 1993 году они были одной из самых крутых музыкальных групп в мире. Эксл был рок-звездой, он всегда держал дистанцию и вел себя очень высокомерно, — но я его не виню. Как я уже сказал, он был вокалистом в одной из самых крутых групп в мире, а я просто полировал его машины.

Но Слэш был другим. Я не мог отделаться от мысли, что он меня с кем-то путает, потому что он всегда относился ко мне как к желанному гостю. Он радовался моему появлению, приглашал меня в дом, предлагал поесть и выпить. И еще у него были змеи — причем не пять, и не десять, — я думаю, что их было штук сто. Я не преувеличиваю. Настоящий серпентарий и предмет

---

[39] Ларри Фортенски (1952—2016) — водитель грузовиков и восьмой муж Элизабет Тейлор.

[40] Guns N'Roses (с 1985 г.) — американская рок-группа из Лос-Анджелеса. В нынешнем составе вокалист Эксл Роуз, соло-гитарист Слэш, клавишники Диззи Рид и Мелисса Риз, гитарист Ричард Фортус и барабанщик Франк Феррер.

его гордости. Однажды он показался мне очень взволнованным: «Заходи, покажу тебе кое-что!»

Слэш велел мне сесть. Потом прошел через комнату, открыл дверь и впустил внутрь большую кошку. Нет, это была не какая-то там «кошка» или «домашняя кошка», а «большая дикая кошка», «кошка джунглей». Зуб даю, что это был кугуар, и он шел прямо на меня. Он приготовился, прыгнул, сшиб меня двумя лапами, прижал к земле и принялся вылизывать мое лицо.

Но тут подскочил Слэш и отогнал от меня эту кошку.

— Мне не больно, друг, — сказал я.

— Нет, нет, у него такой язык... — возразил он. — Если он будет и дальше вылизывать тебе лоб, то просто сдерет кожу с черепа. Ему выдрали зубы и когти, но язык у него — будь здоров. Он просто слижет тебе лицо за двадцать секунд.

Потом меня познакомили с Джеффом Бриджесом[41]. Он жил на холме возле моего первого дома в каньоне Санта-Моника и обращался ко мне со всякими пустяковыми просьбами, например просил постричь лужайку или заменить лампочку. Он был одним из самых прекрасных, самых удивительных людей, которых я только знал. Джефф всегда хорошо относился ко мне. Он был очень добрым человеком, всегда выходил во двор и разговаривал со мной, пока я работал. Он никогда не забывал предложить мне пива, иногда мы купались в бассейне или плавали в океане. Словом, это особенный, необыкновенный, добрый и настоящий человек. Мне очень не хватало Джеффа, когда он переехал жить в Санта-Барбару.

---

[41] Джефф Бриджес (р. 1949) — американский киноактер.

Когда я видел, что со мной обращаются несправедливо или делают глупости, я не мог держать язык за зубами.

К этому времени мои отношения с Клаудией окончательно испортились. Она поехала навестить родителей в Огайо, а перед тем как вернуться обратно, позвонила и сказала, что ее родители очень недовольны тем, что она сожительствует со мной вне законного брака. Я сказал ей, что хоть не признаю брак как таковой, но считаю, что ей лучше все-таки жить со мной, тем более что к этому времени мы уже обручились. Однако родители поставили ей условие: если она переедет к ним, они не только оплатят обучение, но покроют все ее счета и долг. Она всерьез раздумывала над их предложением.

Я разъярился.

— Иди к черту! Мы собирались пожениться!

И бросил трубку. На следующей неделе кто-то из ее родственников в Огайо нажаловался на меня. Думаю, что это была ее младшая сестричка. Когда я жил в Огайо, меня все боялись, и Клаудии никто бы и слова не сказал, но теперь, после того как я уехал, ей могли сообщить, что, встречаясь с ней, я параллельно переспал с половиной девчонок в городе. Я уверен, что доброхоты просветили ее насчет моих амурных похождений. Она вернулась в Калифорнию, не предупредив меня, — просто приехала в квартиру. Едва возникнув на пороге, Клаудиа схватила пылесос и метнула его в меня через всю комнату. Пылесос угодил мне в голову. Затем она прыгнула на меня и прижала к полу. Начала лягаться. И даже плюнула мне в лицо. Стоит ли говорить, что между нами все было кончено?

***

Так текла моя жизнь в «теневом секторе» экономики. Я работал на музыкантов и кинозвезд. Возможно, я должен был предвидеть такое развитие событий. Моими работодателями были состоятельные люди в Бель-Эйр, Беверли-Хиллз и Малибу. Стоит ли удивляться, когда однажды меня попросили подогнать наркоты. Это был только вопрос времени. Я не буду называть имени этого клиента, — здесь только я «ложусь на рельсы». Наверное, я был похож на парня, который может достать дурь. Этим людям было достаточно щелкнуть пальцами, чтобы получить желаемое. Итак, меня попросили, и я не отказал.

Мой друг свел меня с барыгами из округа Гумбольдта и округа Марин, я начал к ним ездить и забирать марихуану. Я покупал пятьсот граммов за четыре тысячи долларов, раскладывал их по тридцатиграммовым пакетикам и продавал один пакетик за шестьсот долларов. Это было куда легче, чем мыть машины, и к тому же увлекательнее. Я быстро разочаровался в честной работе и понял, какие выгоды мне сулит наркобизнес. Разве можно было сравнивать открывающиеся перспективы с торговлей мексиканским гашишем в Толидо? Товар был первый сорт. Отличная дурь. Но я не смог скупить всю партию. А когда я вернулся обратно в Малибу, она уже ушла.

Но я все равно сумел заработать кучу денег за короткое время.

Чувак! Видели бы меня мои друзья!

И тут у меня созрела идея. В Огайо невозможно было достать хорошую травку. Я скупил у своих барыг все что мог, положил в грузовик и поехал обратно в Огайо, надеясь озолотиться.

Со мной отправился мой друг из Толидо, Брайан. Он учился в Калифорнии на юридическом факультете, и нам казалось, что это очень забавно — студент-юрист приторговывает марихуаной. Я провел тридцать один час за рулем, подкрепляясь лишь кофе и диетической колой. Потом меня сморил сон, и я поменялся с Брайаном местами.

— Держись правой полосы, следи, чтобы стрелка показывала не больше шестидесяти. Не разгоняйся, усек?

— Усек, — кивнул Брайан.

— Брайан, я ведь не просто так. Не разгоняйся больше шестидесяти!

— Не буду, не буду, — поспешил он успокоить меня, — но здесь скоростной лимит — шестьдесят пять.

— Брайан, не умничай. Не разгоняйся больше шестидесяти.

— Ладно, ладно, — кивнул он.

Я устроился на заднем сиденье, закрыл глаза и провалился в сон. Не прошло и десяти минут, как Брайан выругался:

— Вот дерьмо!

Я даже глаза не стал открывать. Не было необходимости. Я уже понял, что произошло. «Дерьмо, а дальше что?» — спросил я саркастически.

— Наверное, нас оштрафуют, — ответил Брайан.

— Но почему, Брайан, почему?

— Ну... Я превысил скоростной лимит. Ехал шестьдесят шесть.

Вся жизнь пронеслась перед моими глазами. Нас зажали в тиски. Когда полиция тормознула наш арендованный грузовик с калифорнийскими номерами в Техасе — в городке Вега в бесплодной пустыне возле Амарилло, — я чуть не поседел. Я знал, что нас скрутят. Полицейские произвели нелегальный обыск и выемку груза. Брайан плакал и причитал, что его жизнь кончена. Что до меня, то я не видел особой проблемы. Подумаешь, какая-то травка! Просто я никогда не был в Техасе.

Мне сделалось жаль Брайана.

— Слушай, друг, — сказал я. — выручи меня из беды. Найди хорошего адвоката. Если найдешь, то я прямо сейчас подпишу признательные показания и возьму всю вину на себя.

Брайан не верил своим ушам.

— Братишка, ты это серьезно? Не врешь?

— Не вру. Найди хорошего адвоката, заплати гребаные штрафы и вытащи меня из этого дерьма!

Я сидел в маленькой комнатушке и ждал, когда «плохой» легавый принесет мне бумагу и ручку. «Хороший» легавый занервничал и обратился ко мне.

— Ты — певец? — спросил он, растягивая слова как южанин.

Я уставился в пол.

— Ты похож на приятеля Джима Моррисона. Я ездил на Ямайку в студенческие годы. На весенних каникулах. И слушал регги. Я был совершенно пьян и счастлив, буквально кончил в штаны.

Думаю, что, согласно правилам хорошего тона, я должен был рассмеяться. Этот парень помирал со скуки, ненавидел свою гребаную жизнь и хотел вызвать меня на откровенный разговор.

Я подписал показания и взял всю вину на себя. А Брайан? Как вы думаете, что сделал Брайан? Брайан слинял, и я о нем больше никогда ничего не слышал. Мне грозило от семи до десяти лет тюрьмы, и никто не мог мне помочь. Кому я стал бы звонить? Элизабет Тейлор?

Но у меня *был* ангел-хранитель. Я позвонил Дину Карру. Тот был чертовски любезен со мной, когда я в первый раз приехал в Лос-Анджелес. Дин позвонил Вонючке. Вонючка был мелким торговцем марихуаной, но он поднимал реальные бабки на компьютерах. Тогда в компьютерах никто не разбирался, а он был специалистом. Его настоящее имя было Крис, но мы никогда его так не называли — все звали его Вонючкой или «Крисом-который-никогда-не-заткнется». Так что Вонючка не только торговал травкой. Он был компьютерщиком у известного адвоката Ника в Палм-Спрингс. Вонючка рассказал ему о моей беде. Ник был ветераном войны во Вьетнаме, бывшим спецназовцем, сексотом, инвалидом-колясочником, жертвой агента Оранж[42]. Он позвонил прокурору и зачитал ему За-

---

[42] Агент Оранж — химическая смесь кислот, которую распыляли американцы во Вьетнаме. — Прим. перев.

Я поехал на зеленые холмы Бель-Эйр, **где растут огромные величественные деревья** и за **гигантскими живыми изгородями прячутся** *величественные особняки.*

кон о запрете нелегальных обысков и злоупотреблений в судопроизводстве.

— Вы должны пойти с этим мальчиком на мировую, — потребовал он.

— Нет шансов в аду, — отрезал прокурор. — Или семерка, или десятка. Поставим его в пример другим.

— Ты должен пойти с этим ребенком на мировую, — сказал Ник. — Или я приеду к тебе в инвалидной коляске и о твоем гребаном городишке узнает вся страна.

— А о какой сделке мы, собственно, говорим?

— Условный срок, — сказал Ник. — Условный срок и только.

— Я подумаю, — сказал прокурор и повесил трубку.

За меня поручился Боб Ханикатт. Старина Ханикатт был настоящим фермером в ковбойских ботинках и большой ковбойской шляпе. Боб курил Pall-Mall (причем его сигареты были без фильтра) и водил большой

«Линкольн» с ревущей магнитолой. Окна в его машине были наглухо закрыты, а сигареты выкуривались одна за другой. Нет, я тоже, конечно, курил, но, боже мой, это была настоящая душегубка! В это невозможно поверить, но Боб не открывал окна. Он говорил и курил.

На пути из аэропорта в суд Боб очень наглядно выказал мне свою жестокую любовь. Дымя сигаретой, свисающей из уголка рта, он резко прижал свой большой «Линкольн» к обочине дороги, буквально вылетел на парковку, взглянул мне в лицо немигающим взглядом и прорычал: «Мальчик, будь твоя кожа на пару оттенков темнее, ты никогда бы не увидел дневного света. Поэтому ты должен быть безумно благодарен и молить Господа нашего Иисуса Христа».

Не знаю, к чему он помянул Иисуса Христа, но, сидя в здании суда в тот же день, я понял, что старина Боб был прав. Все обвиняемые до единого были чернокожими, каждого из них без проволочек судили, заковывали в наручники и увозили в тюрьму. Я не имею в виду *некоторых*, я не имею в виду *большинство* — всех этих сукиных детей судили за то же преступление, что и меня. За наркотрафик.

Наконец пришла моя очередь держать ответ перед судьей. Судья огласил обвинительный акт и поинтересовался: могу ли я что-то сказать в свою защиту? Я со своим акцентом уроженца Огайо путано объяснял, что связался с дурной компанией, что очень сожалею об этом и что это было в последний раз. Я даже выдавил пару крокодильих слез. Произнося последнее слово, я опустил голову, опасаясь смотреть судье в лицо, и взглянул только в самом конце, когда сказал, что очень сожалею и прошу о милосердии.

Меня приговорили к пяти годам отложенного условного срока за уголовное преступление четвертого класса. Это означало, что, если я не нарушу условный срок в ближайшие пять лет, обвинение будет снято штатом Техас. Как будто ничего не произошло. Восемь месяцев я улаживал все юридические вопросы, в противном случае мне давали десятку и сажали в федеральную тюрьму. Передо мной вырисовывалась перспектива еще худшего прозябания, чем в Огайо. Меня начали мучить ночные кошмары. Когда я наконец убедился, что все вопросы улажены и я получаю условный срок в штате Техас, — я даже всплакнул от облегчения.

Но была одна проблема. Я жил в Калифорнии.

Я выплатил семь тысяч долларов штрафа (надо сказать, что в то время я встречался с фотомоделью Анной, и это она внесла деньги, благодаря которым я откупился). Потом я попытался перенести мой условный срок под юрисдикцию штата Калифорния. Но в калифорнийском законодательстве нет такого понятия, как отложенный условный срок. Поэтому, согласно моему юридическому статусу, на сегодняшний день в Калифорнии я — осужденный преступник.

Когда все закончилось, я оказался нищим и бездомным. И не видел другого выхода, кроме как вернуться в Огайо. И я вернулся к Дебби и Николь. Я понимал, что сотворил большую постыдную глупость. В итоге я прожил в Огайо три месяца.

В двенадцать лет Гус дал мне первую настоящую работу. Он же позвонил и предложил встретиться в «Дубовой бочке» в пол-одиннадцатого вечера. Назначенное время вызывало у меня некоторое удивление, ведь заведение закрывалось в десять. Но я был готов на все

> Все обвиняемые **ДО единого** были чернокожими, **каждого ИЗ НИХ** без **проволочек** судили, заковывали в **наручники и увозили** в *тюрьму.*

ради Гуса и вошел в его кабинет в условленный час. Закончив свои дела, Гус сказал: «Пошли, прошвырнемся».

Он повез меня в пиццерию на улице Монро. Мы заказали пирог, сидели, ели его и болтали о какой-то ерунде. И все это время Гус пристально изучал меня. Вдруг он расхохотался.

— Что случилось? — спросил я.

Он не сводил с меня глаз и продолжал смеяться. Когда мы расправились с пирогом, Гус полез в карман и вытащил оттуда пухлую пачку денег. Хлопнул ею по столу, а затем придвинул ее ко мне.

— Это не в долг, — сказал он.

— Как это понимать? — спросил я.

— Вали. Вали отсюда к чертовой матери. Понял?

Я был в замешательстве.

— Как? Почему?

— Слушай меня. Возьми эти гребаные бабки. Уматывай отсюда и никогда больше не возвращайся. Ты мне ничего не должен. Понял?

Уматывай отсюда и никогда больше не возвращайся. Даже не оглядывайся. Завтра ты простишься с Дебби и Николь и уедешь.

— Ладно, — сказал я. У меня защемило в груди. Я любил его. Он был мне как отец родной. Мне очень хотелось остаться, но в глубине души я знал, что он прав. Мне не хватило бы духу вернуться в Калифорнию, к тому же у меня не было денег, чтобы туда вернуться. Но теперь, когда мои карманы были набиты долларами, у меня не было оправданий.

Он на меня не злился. Он не был одним из многих в этом городишке, кто считал, что я приношу несчастье. Он любил меня, но знал, что если я останусь в Толидо — не будет ничего, кроме неприятностей. И он не хотел, чтобы я был таким, как он. В девятнадцать лет он тоже ездил в Калифорнию. Хотел стать актером. Он любил Калифорнию больше всего на свете, но заболела его мать, а отец был пьяницей. Гус вернулся домой, так как некому было заботиться о матери. И я всегда буду любить его за все, что он для меня сделал.

Итак, я вернулся в Калифорнию и начал звонить разным людям. Мне удалось дозвониться до Марка, который работал у Слэша механиком и был буйным алкоголиком из Дорчестера, штат Массачусетс. Он пожалел меня и разрешил спать в свободной комнате, где держал своих домашних питомцев: змей, ящериц, птиц и кролика. У кролика не было клетки, и он гадил везде, где только мог. Птицы разбрасывали зерна из клеток. Это было одно из самых загаженных мест, которые можно было представить, но зато у меня была крыша над головой.

Многие из моих прежних клиентов разъехались, но Слэш был очень щедр и разрешил мне следить за его машинами, так что я мог заработать немного денег. Раз в день я ел в «Макдональдсе» и часами читал книги. *«Сиддхартха»*, *«Демиан»*, *«Нарцисс и Гольдмунд»* Германа Гессе[43]. *«Источник»* и *«Атлант расправил плечи»* Айн Рэнд[44]. *«Чужак в стране чужой»* Роберта Хайнлайна[45]. Эмерсона[46], Торо[47]. Все, что мог достать. Я читал все подряд, читал, чтобы забыться, читал, чтобы не думать, какая бывает гребаная и несправедливая жизнь — по крайней мере, моя собственная была именно такой. Мне нечего было делать, я устал от равнодушных людей. Я не закончил школу, я был гребаным уголовником и поэтому решил заняться самообразованием.

«Алхимик» Пауло Коэльо[48] произвел на меня очень сильное впечатление. Когда я отчаялся, он дал мне надежду. Его герои говорили мне: «Секрет жизни не в том, чтобы упасть семь раз, а в том, чтобы восемь раз подняться».

И я поднялся. Но потом упал еще ниже и ударился еще больнее.

---

[43] Герман Гессе (1877—1962) — немецкий писатель и художник, лауреат Нобелевской премии по литературе.

[44] Айн Рэнд (1905—1982) — американская писательница и философ.

[45] Роберт Хайнлайн (1907—1988) — американский писатель-фантаст.

[46] Ральф Уолдо Эмерсон (1802—1883) — идеолог американского либерализма, писатель и лектор.

[47] Генри Торо (1817—1862) — американский писатель, автор книги «Уолден, или Жизнь в лесу».

[48] Пауло Коэльо (р. 1947) — бразильский писатель и поэт.

ГЛАВА ЧЕТВЕРТАЯ

Я решил заняться спортом, потому что подумал, что спорт может вывести меня из депрессии. Я ходил по городу и присматривался к тренажерным залам. Заходил и в «Бэллис». Там было дешево, но погано, и я чувствовал себя несчастным человеком. Мне вспомнилась одна из психотерапевтических книг, которую я видел в магазине. В ней я вычитал, что если хочешь преуспеть, то ты должен окружить себя успешными людьми. Вот я и решил одним выстрелом убить двух зайцев. В отеле «Лоуи» на Оушн-авеню был тренажерный зал премиум-класса. Я проходил мимо него много раз, но однажды зашел внутрь и осмотрелся. Это было что-то невероятное. Необыкновенно дружелюбный администратор показал мне все, что у них есть. Все тренажеры были новенькими, сталь сверкала. Хотя посетителей было немного, все они производили впечатление богатых, успешных людей, находящихся в превосходной физической форме.

Администратор повел меня в раздевалку, — она сияла чистотой, и даже запах там был приятный. Он обратил мое внимание на сауну и парилку. Потом мы вышли на улицу, где мне показали бассейн с видом на Тихий океан. Я оторопел. Я никогда не думал, что спортзал может быть так прекрасен. Он напоминал спа или какой-то курорт.

Когда мы вернулись обратно, мой новый знакомый предложил мне абонемент.

— Ты шутишь, друг? Конечно, беру!

И запнулся. Я не спросил, сколько это стоит.

— Двести долларов сейчас и потом сто семьдесят пять долларов в месяц, — сказал он.

Мое сердце оборвалось. Я чувствовал себя разбитым и смущенным. В «Бэллисе» просили тридцать долларов в месяц. Я подумал, что здесь попросят пятьдесят. Я уже готовился набрать воздух в легкие и брякнуть какую-то нелепость вроде: «Хорошо, я еще вернусь, — сначала надо посмотреть и другие места».

Но администратор выглядел так спокойно и дружелюбно, что мне подумалось: *«Чем черт не шутит?»* И рассказал ему все как есть.

— Сожалею, друг, но мне не по карману.

— Да вы не беспокойтесь, — ответил он. — Вступительный взнос необязателен.

Я рассмеялся.

— Нет, вы меня неправильно поняли. Я не смогу оплатить абонемент. Совсем. Я сейчас безработный.

— Тебе нужна работа?

— Что?

— Тебе нужна работа?

— Где?

— Здесь. Хочешь здесь работать? Я могу устроить. Правда, у нас мало платят. Всего-то шесть долларов в час, но зато у тебя будет бесплатное членство. А если продашь посетителю абонемент, то получишь двести долларов комиссионных.

Я решил ЗАНЯТЬСЯ СПОРТОМ, потому что подумал, ЧТО СПОРТ может вывести меня из депрессии.

Мне было двадцать шесть, и вот что я получал в итоге — мне предлагали почасовую оплату, которая равнялась моей зарплате посудомойщика, которую я получал в двенадцать лет. Но это не имело значения, потому что ответ этого человека говорил о многом. Во-первых, парень он был отличный, потому что дарил мне свои двести долларов комиссии и принимал меня без вступительного взноса. А во-вторых, помимо бонусов в виде комиссионных, я мог неплохо заработать, потому что знал: да, мне недостает знаний, но у меня купили бы даже обогреватели, если бы я вздумал продавать их грешникам в аду.

Я ухватился за эту работу и принялся вкалывать как сумасшедший. Помимо прочего, я занимался в зале, ходил в сауну и парился. Я назначил себе цену в миллион долларов. Прошло совсем немного времени, и я стал тренером. Я торговал абонементами, получал комиссионные, а моя начальная ставка тренера равнялась пятидесяти долларам в час. Я был чертовски богат! Тогда мне так казалось. Время от времени я звонил Анне, с которой раньше встречался, но она не брала трубку. Я не видел ее с тех самых пор, как она вызволила меня из техасской тюрьмы. Но теперь со мной произошли большие перемены, — у меня были деньги. Мы встретились с Анной. Мне нравилось водить ее в рестораны и потакать ее капризам. Вскоре я отложил достаточно денег, чтобы снимать квартиру в Малибу, мы туда переехали и стали жить вместе. Это была самая дешевая квартира в городе, но к ней прилагался ключ от калитки, которая вела на престижный частный пляж. И я платил за все.

***

Итак, теперь я поселился в Малибу, зарабатывал кучу денег и жил с этой сумасшедшей красавицей из Исландии. И думал, что мне уже и желать больше нечего. Но однажды вечером, когда я работал допоздна за стойкой спортзала, вошел этот парень. Он был очень грязный, весь пропах сигаретами. Он протянул мне ключи с просьбой спрятать их под стойкой. Мое внимание привлек парковочный ключ на связке. Мне это понравилось. *«Как смело»*, — подумал я. Взглянув на ключ, я понял, что это «Джип Рэнглер». *«Как смело, — снова восхитился я, — зачем парковать этот джип?»* Мне нравилось, что этот прокуренный чумазый бедняга припарковал здесь свою машину и тренируется у нас.

Позже, когда мы уже закрывались, он проходил мимо стойки. Но вдруг остановился, и мы разговорились. Он спросил меня, откуда я родом, и я сказал: «Из Огайо».

Он расхохотался, но я тут же нашелся: «Да провались ты на этом месте! Уроженцы Огайо — самые лучшие».

Он расхохотался еще пуще и сказал: «Знаю, знаю, я сам из Колумбуса»[49].

Затем я, смеясь, проводил его до двери. Мы вышли вместе, и я закрыл спортзал.

Когда он пришел в другой раз, мы поговорили за жизнь, обсудили Калифорнию, Огайо, наших друзей, которые остались там. Уходя, он сказал: «У меня к тебе личный вопрос. Можно?»

— Разумеется, спрашивай.

Он сказал: «Похоже, у тебя есть голова на плечах. Зачем ты сушишь полотенца в твоем возрасте?»

Вопрос меня озадачил, и он это заметил.

— Я только что откупился от тюрьмы, приятель. Об этом не пишут в резюме. Другой работы я не смог бы найти.

И тут он сказал одну вещь, которую я никогда не забуду.

— Дай листок бумаги.

И нацарапал имя и телефон.

— Это номер моего помощника Тодда. Позвони ему. Я помогу тебе найти работу.

Что такое? О чем это он? Его помощник? Помощники есть у богатых людей. Не оставалось никаких сомнений, что этот парень тоже при деньгах.

Это дерьмо, вот что это такое. Он провонял сигаретами, не чистит ногти и ездит на гребаном джипе.

Но на следующий день, терзаемый любопытством, я набрал этот номер. Тодд ответил после первого гудка.

— Здорово, парень. Да, Сэм сказал мне, что ты позвонишь. Приедешь к нам в офис?

---

[49] Колумбус — столица штата Огайо. — Прим. перев.

У меня **КУПИЛИ БЫ** даже обогреватели, **ЕСЛИ БЫ Я**

вздумал продавать их грешникам

в аду.

— Не проблема, — ответил я, а сам подумал: *«Какой офис?»* Я нервничал, поэтому взял с собой Анну, и мы вместе поехали по указанному адресу. Эббот-Кинни в районе Венис — прелюбопытнейшая игрушечная улочка, окруженная со всех сторон криминальными районами, кишащими преступниками и наркоторговцами.

Мы вошли в офис, и я обомлел. Все были абсолютно спокойны. Все были хорошо одеты и хладнокровно смотрели мне в лицо. Я никогда не был в обществе таких людей — модных, энергичных, успешных. Сэма не было, и меня встретил Тодд. Я только спросил: «Не понимаю, что здесь творится. Чем занимается Сэм?»

Тодд объяснил мне, что Сэм Бейер — режиссер.

— Режиссер? — рассмеялся я. — Да какой он режиссер? Если он — режиссер, то почему же он такой грязный, когда приходит в спортзал?

Тодд зашелся от смеха.

— Он всегда грязный, потому что он еще и оператор, катается по земле, снимает и снимает, расходует пленку рулонами, пока не получится идеальный кадр.

Я понятия не имел, о чем это он. Но Тодд шагнул к столу и протянул мне список актеров, которых предстояло обзвонить завтра. Так состоялось мое посвящение в киношники.

— И кстати, если хочешь — захвати девушку. Сэм сказал, что и для нее найдется работа.

На следующий день мы приехали на место. Это было какое-то поле боя: сотни людей, трейлеры, автобусы, фургоны, шаттлы... И там был Сэм, — он стоял на склоне холма, орал как резаный и всеми командовал.

— Что снимаем? — спросил я одного парня из массовки.

— Рекламу диетической колы.

Я был восхищен. Но прежде чем я обдумал увиденное, Сэм заметил меня и подозвал к себе: «Эй, Клео (так в Огайо произносят мое имя), топай сюда!»

Он много курил, постоянно пил кофе и был весь на нервах. Сэм распахнул свои медвежьи объятия, мы поприветствовали друг друга, и он спросил: «Что слышно, друг?»

— Это моя подруга Анна, — ответил я.

Не теряя ни минуты, он подозвал одного из визажистов.

— Веди ее в гримерку! Попробуем ее в кадре!

Анна была ошарашена. Я тоже. Сэм сказал, что я должен захватить стул и позже мы еще поговорим. На протяжении трех часов утренних съемок, у черта на куличках, где-то в долине Антилоп, Сэм драл глотку: «Ведите девочку малыша! Ведите девочку малыша! Попробуем ее в кадре!»

87

Это был цирк. Я не шучу. Гребаный цирк. Были и клоуны, и животные, бегали люди, пыль стояла столбом. Сэм катался по земле с камерой, и тут я понял, что имел в виду Тодд. Он снимал со всех мыслимых и немыслимых ракурсов, вопил и орал. Это было чертовски здорово!

Потом появилась Анна в старинном платье, она поднялась на пригорок, а Сэм катался по земле, взбирался на лестницу, садился в кресло и снимал ее со всех ракурсов. Думаю, он был чертовски великодушен; я понял, что он жалел нас. Он хотел, чтобы мы почувствовали себя особенными.

Действительно, через шесть недель, когда я вышел на мою третью работу вместе с Сэмом, мы чувствовали себя особенными. Кто-то из продюсеров сказал мне, что, если бы не Анна, не было бы этого рекламного ролика, который вскоре должен был выйти в эфир. Только после первого проката нам выдали гонорар — около семидесяти пяти тысяч долларов. Эту рекламу крутили без конца.

***

Работа с Сэмом была из разряда фантастики. Это был ураган, а не человек. Он потряс мое воображение. Из всех мастеров своего дела он был первым, с кем я мог общаться на равных, он любил меня, и это очень важно. Мне платили огромные деньги — двести пятьдесят долларов за день съемок плюс суточные. Сэм снимал замечательные музыкальные клипы, он сделал революцию в музыке своим первым клипом для маленькой и тогда никому не известной группы Nirvana[50].

---

[50] Автор имеет в виду ролик на песню «Smells Like Teen Spirit». — Прим. перев.

Также он снимал рекламные ролики — много реклам-
ных роликов — для международных брендов. Он даже
снял меня в рекламе Nike, но их юристы вооружились
против меня законом Тафта — Хартли[51], и я вступил
в Гильдию киноактеров. Есть у меня такая карточка.

Я знал всех — Rolling Stones[52], Smashing Pumpkins[53],
Metallica[54]. В буквальном смысле это была мечта, которая стала явью. Не знаю, как называлась моя должность.
Наверное, помощник. Но точно не помреж — это была
самая настоящая работа. Я встречался с людьми, выполнял поручения, вез Сэма на съемки и обратно домой.

Все это время в наших с Анной отношениях происходили забавные вещи. Когда я зарабатывал шесть долларов в час и еле-еле сводил концы с концами, с трудом
оплачивал счета, нашу с ней любовь было не разорвать.
Но теперь я зарабатывал приличные деньги и охамел.
Я всегда знал, что мы с ней разного поля ягоды. Она
была стройной блондинкой ростом метр восемьдесят
три, голубоглазая фотомодель из Исландии, а я — парень из Огайо ростом метр семьдесят четыре. Я был
никем. Гус наверняка спросил бы меня: «Как тебя угораздило вляпаться в такое дерьмо? Как получилось,

---

[51] Закон Тафта — Хартли — антипрофсоюзный закон
1947 г. — Прим. перев.

[52] The Rolling Stones (с 1962 г.) — британская рок-группа,
основатели Мик Джаггер, Кит Ричардс и Брайан Джонс.

[53] Smashing Pumpkins (с 1988 г.) — американская альтернативная рок-группа, в составе: Билли Корган (гитара и во-
кал), Джеймс Иха (гитара и бэк-вокал), Дарси Рецки (бас
и бэк-вокал) и Джимми Чемберлен (ударные).

[54] Metallica (с 1981 г.) — американская метал-группа, ее
основатели — вокалист Джеймс Хэтфилд и барабанщик Ларс
Ульрих.

что вы встречаетесь?» Перевожу: «Что она делает рядом с *тобой*?»

Я всегда боялся, что она меня бросит. Почему бы и нет? Она никогда не подавала виду, что хочет расстаться, но страх был сильнее меня. И чем больше я любил ее, тем сильнее был мой страх, — и это было самое лучшее в наших отношениях. Я постоянно изводил ее мелочными придирками. Иногда я был такой врединой, что говорил: «Ты просто мечтаешь со мной разойтись, да и я больше не хочу жить с тобой». Я просто хотел узнать, что она скажет в ответ.

Но она не верила ни единому моему слову. Я *сам* не верил, что мог говорить такое. Непрошеные слова срывались с моего языка, но про себя я думал совершенно другое. Я хотел сказать: «Я так боюсь, что мы расстанемся», — а получалось: «Ты — несчастная идиотка. Ты должна уйти. Я сыт по горло нашими отношениями».

Я ничего не мог с собой поделать, мы ругались все чаще и чаще. Потом все заканчивалось примирением в постели, но через неделю все повторялось опять. Наверное, когда она начинала плакать, я чувствовал себя в безопасности. Мне казалось, что она переживает из-за меня и не хочет уходить. Я влюблялся в нее все сильнее и сильнее. Но чем сильнее я влюблялся, тем больше становился мой страх. И тем яростнее мы дрались.

А потом я с остервенением запил. Я стал презирать свою работу, о чем до сих пор сожалею. Сэм был чертовски благородным человеком — приглашал меня в «Хама Суши» и «Нобу», но я скулил, ныл и жаловался на всякую ерунду. Я часто опаздывал на работу, а иногда не выходил совсем, так как болел после вчерашнего. Вскоре меня уволили.

И чем **больше я** любил ее, тем **сильнее был** мой страх, — и ЭТО БЫЛО самое лучшее *в наших* отношениях.

***

Анна принесла домой хорошую новость. Она получила ангажемент на клип Майкла Джексона. По-моему, это был ремикс «Blood on the Dance Floor». Его крутили в Штатах, но у нас он не имел большого успеха. Зато в Европе все было по-другому. За границей этот клип поднялся на первую строчку чартов. Телевизионщики и радиожурналисты из родной страны Анны наперебой звонили ей и просили об интервью.

Я сказал ей, что надо собираться и ехать в Исландию, но Анна отказалась, так как с деньгами было туговато. После того как я потерял работу у Сэма, мои сбережения таяли на глазах. Я напомнил Анне все грустные истории из ее детства, которые она мне рассказывала: про то, как ее дразнили из-за сыпи на лице, из-за того, что она была неуклюжей и долговязой. Я настаивал на том, что она должна поехать домой и показать всем, каких успехов добилась.

— А кто будет оплачивать аренду? Кто будет платить по счетам?

— Не забивай голову этой ерундой. Ты должна ехать домой. Родители не видели тебя четыре года.

В итоге я ее уломал. Она загорелась идеей поездки. Ни с того ни с сего наши отношения наладились, — они стали лучше, чем были когда-либо прежде. Я думал, что, когда она уедет, я начну искать работу. А пока мы не работали — уже две недели. Зато все это время мы были вместе. Денег оставалось в обрез, поэтому я сам готовил еду и очень гордился этим. Это была простая, бедняцкая еда. Яйца да паста с томатным соусом. Но в каждое из этих блюд я вкладывал свою любовь и искренность.

Когда пришло время ехать в Исландию, Анна ужасно разнервничалась. Не скрою, я тоже переживал. Утром мы рано встали и стали собираться в аэропорт. Анна все время суетилась и не поднимала на меня глаз. Когда мы спускались с высот Линкольна, она разревелась.

— Голубушка, не плачь. Все в порядке. Ты вернешься через две недели. Все будет хорошо.

Анна немного успокоилась. Она еще не уехала, но уже скучала без меня. И мне было приятно смотреть, как она скучает. Ее слезы грели мне душу.

— Не думай о плохом. Я звонил Дину Карру. Он сказал, что я могу вернуться к нему на работу.

Она снова заплакала и крепко сжала мою руку. Мне было очень приятно, что она так плачет и так горюет. Нам было хорошо вместе, она меня любила. И этот страх, мой вечный ужасный страх исчез, потому что теперь я точно знал, что она любит меня.

— Я люблю тебя, — сказал я.

— И я тоже тебя люблю, — прошептала она, целуя мою руку и сжимая ее все крепче.

Когда мы приехали в аэропорт, плач сменился всхлипываниями. Я был счастлив, меня распирало от гордости. Я люблю мою девочку, а она любит меня. Я отправляю ее в Исландию, где она покажет всем этим дрянным людишкам, которые измывались над ней в детстве, какой успешной она стала. Я живо представлял себе эту картину: многочисленные телевизионщики и радиожурналисты столпились вокруг Анны и берут у нее интервью. Тогда я был очень сентиментальным...

Мы вышли из машины и расцеловались. Она сжала мою руку еще крепче.

— Я люблю тебя, — повторил я.

— И я тоже тебя люблю, — снова сказала она. А потом повернулась и пошла прочь.

Она больше не смотрела на меня, не сказала больше ни слова. Ей было слишком тяжело. Ее не будет две недели, и она уже начала скучать. И мне все это нравилось.

На обратном пути я чувствовал себя превосходно. Я ликовал. Я ощущал себя в безопасности. И еще я думал о нашем будущем, о том, что когда-нибудь у нас появятся дети. Но мои раздумья и мечты были недолгими. Дома я разогрел себе оставшуюся пасту и решил пораньше лечь спать, потому что на следующий день планировал искать работу, хотел начать наводить порядок в своих делах. Но когда я взобрался по лестнице и лег в постель, мной овладел приступ паники. Анна не оставила мне телефон своей мамы! *Что за черт*, она забыла оставить мне телефон своей матери. *Что за черт*. Я двадцать раз ей твердил: «Обязательно оставь мне исландский телефон мамы».

Я принял **ТЬМУ КАК** подарок,

двери **распахнулись,**

И ВОТ моя зависимость уже

правит **бал.**

Ладно, спрошу завтра, когда она позвонит. Завтра не наступило. Нет, завтра наступило, но она не сдержала своего обещания — она не позвонила. К середине дня я окончательно расписховался. Может быть, самолет задержался. Возможно, у нее дома какие-то проблемы. Я заснул на полу рядом с телефоном и проснулся вечером, ежась от холода. Мое тело ломило после сна на жестком полу.

Какого черта? Наверное, телефон сломался. Да, что-то не так с телефоном. Я выдергивал телефонный провод и вставлял его обратно в розетку. Я звонил своим друзьям и просил их перезвонить. Я прибавлял и убавлял громкость звонка. Три или четыре раза я звонил в телефонную компанию и просил сделать проверочный звонок. Телефон мог сломаться. Но нет, меня заверили, что он исправен.

В телефонной компании я узнал номер справочной в Исландии. Я набрал номер, и мне ответила женщина с тяжелым исландским акцентом. Я сказал ей, что разыскиваю Анну Робертсдоттир, что она живет со своей матерью. Телефонистка сказала, что у них много женщин с фамилией Робертсдоттир, это очень распространенная исландская фамилия. У них все фамилии оканчиваются либо на -сон, либо на -доттир. Не как в Америке.

— Вы знаете фамилию матери? — спросила она.

— Не знаю.

— И как, по-вашему, я узнаю номер?

— Не знаю.

На один телефонный звонок мне выдавали три адреса, поэтому я постоянно звонил и узнавал новые телефоны женщин с фамилией Робертсдоттир. Тысячи телефонных номеров. Я звонил девять дней. Я ничего не ел. Засыпал на ходу с телефоном в руке. Плакал. Впадал в ярость. Метался взад и вперед, как тигр в клетке. На девятый день я случайно разыскал знакомых, которые знали знакомых отца Анны, и мне наконец дали ее номер. Я позвонил, ответил ее отец. Он продиктовал мне телефонный номер дома ее матери. Со второго раза она ответила. Не мать, а Анна!

Сначала я бросил трубку. Потом перезвонил и заорал:

— Что ты делаешь, мать твою?!

Она положила трубку. Я снова набрал номер. Она сняла трубку.

— Что ты делаешь, мать твою? Что стряслось?

Она снова бросила трубку. Я позвонил опять.

— Анна, подожди, пожалуйста. Не бросай трубку.

— Что?

— Что значит «что»?

— Что тебе от меня надо?

— Хочу узнать, как дела. Когда ты вернешься?

— Я не вернусь. Я тебя разлюбила. Пожалуйста, не звони больше.

И повесила трубку. Я звонил снова и снова, но тщетно. Иногда мне кто-то отвечал и бросал трубку. А потом я сдался.

В глазах завращались огненные колеса. Я поднял взгляд, и товарный поезд мучений, боли, страха, разлуки толкнул меня в лоб, проносясь надо мной. Я разлетелся на тысячи осколков. Я умирал. Я свернулся калачиком и умирал. Я растекся по полу зловонной лужей гнилой стоялой воды.

Даже не могу сказать, что плакал, — не знаю, как можно назвать эти звуки, которые я издавал. Это были отвратительные, первобытные звуки, которые рвались из моего горла. Вздохи, вскрики, стенания. Я всхлипывал всю ночь. Меня тошнило. Я набирал полные легкие воздуха, но тошнотворное ощущение не исчезало. Не знаю, сколько времени это длилось — наверное, несколько дней. Может быть, неделю. Я голодал. Во рту был кислый ядовитый привкус.

Когда я выполз на улицу за едой и сигаретами, соседи косились в мою сторону или отводили глаза. Наверняка они все слышали. Я ненавидел себя. Я хотел умереть, и, если мне не внушили бы в детстве, что меня ждут вечные муки в аду, наверняка я наложил бы на себя руки. Больше не буду никому доверять. Не буду никого любить. Жизнь кончена. Снова тьма победила мою душу, и я с радостью сдался ей. Я принял тьму как подарок. Двери распахнулись, и вот моя зависимость уже правит бал.

***

В спортзале у меня был напарник — старый индеец Аарон. Случилось так, что его соседом был импресарио группы Porno for Pyros. Его звали Роджер. Солировал Перри Фаррелл — фронтмен Jane's Addiction. Это была одна из моих любимых групп, пока они не распались.

Аарон и Роджер свели меня с Перри. Перри очень удивился, когда узнал, что у меня есть ключ от пляжа. Он увлекался серфингом и бывал у меня в гостях. Пока он был в океане, я ходил в сэндвичную «John's Garden» и брал овощные бургеры, потому что не умел кататься на доске и стеснялся. Потом мы сидели на берегу океана, ели бургеры, а Перри говорил, говорил и говорил без умолку. Я никогда не понимал, о чем он вещает. Разговор шел о птицах, о Земле и других странных вещах, которые ускользали от моего понимания. Но я не брал в голову — со мной разговаривал исполнитель песни «Mountain Song» — это был гимн того дня, когда я приехал покорять Лос-Анджелес.

Вскоре мне рассказали, что Перри опять собрал группу Jane's Addiction. Через две недели он закатил вечеринку перед первым большим шоу «Relapse Tour». Рано утром я приехал к Аарону, вместе с ним и Роджером мы постучались в дверь Перри.

«Здорово!» — сказал Перри и протянул мне колеса. Что вы делаете, когда солист вашей любимой группы протягивает вам колеса у себя в доме? Вы глотаете. Верно, и я тоже проглотил. Через пять минут мне стало тревожно. Я начал метаться по дому в поисках Аарона.

— Мать твою! Перри дал мне таблетку. Что это было?

— *Расслабься*, — сказал Аарон. — Это экстази.

— Нет, нет и еще раз нет.

У меня была сильная паника, но я до конца не мог понять, что это: паника или кайф?

— Ну же, расслабься. Успокойся, — утешал меня Аарон. — Возьми еще одну.

Он протянул мне таблетку, и я ее проглотил. Опять.

— Подожди. Какую дрянь ты мне сейчас дал?

— Шведский кваалюд. Он успокаивает.

— Да что же это делается! — орал я. — Таблетки не глотают просто так. Меня колбасит. У меня паника. Мне нельзя психоделики. Меня колбасит!

Аарон взглянул на меня и улыбнулся.

— Тебя не колбасит. У тебя все хорошо. Глотни пивка.

Что я и сделал. Потом выкурил парочку сигарет. Перед началом концерта вся компания впала в лихорадочно-возбужденное состояние. Мы вскочили в один из лимузинов и погнали в центр Лос-Анджелеса — в Большой Олимпийский Аудиториум. К нашему приезду Перри уже пел на сцене, все остальные помахали ВИП-карточками перед охранниками и ввалили гурьбой на танцпол.

Все было как в тумане. Низкие звуки диджериду[55] и отрывистые гитарные аккорды заглушались истошными воплями ошалевших фанатов. Потом разорвалась светозвуковая граната, и толпа взбесилась. Меня накрыло. Мне показалось, что я лечу сначала вверх, а потом — вниз, как на американских горках. Я попытался напрячься и собраться с силами — и даже затаил дыхание, но было уже поздно. Наркотики и музыка вызвали такую эйфорию, какую я никогда в своей жизни не испытывал. Атомная бомба забвения. Крещение лошадиными, избыточными дозами искусственного дофамина и серотонина. Весь прежний страх перед психоделиками и, что важнее, страх перед неуправляемым психоделическим трансом развеялся в тот же

---

[55] Духовой инструмент аборигенов Австралии. — Прим. перев.

Мне показалось, **ЧТО Я** лечу сначала **вверх, а потом — вниз,** как на **американских горках.**

момент, — я об этом и думать забыл. Я чувствовал себя всемогущим, неуязвимым, бессмертным. Это было не просто любование собой, оргия с рок-звездой и стриптизершами в лимузине. Нет, это было что-то другое. Это было экстатическое состояние абсолютного и неразрывного единения с Вселенной.

На следующий день я очнулся один в Малибу на Вествард-бич. Я не помнил, пришел ли я своими ногами или меня принесли? По спине струился пот, куда-то запропастились футболка и кроссовки. Я вытерся, а когда взглянул на руки, то заметил, что весь измазан тушью и губной помадой. Косметика растеклась по лицу.

«Черт побери, как мало экстази. Куплю пакетик».

Это была первая мысль, которая пришла мне в голову.

Я позвонил Аарону, и он рассказал мне, что мой вчерашний экстази был особенный. Он содержал героин и был изготовлен специально для Перри. Думаю, что я очень испугался, — неожиданно для себя я обнаружил, что впервые в своей жизни познакомился с героином. Но в то же время это открытие взволновало меня и распалило во мне желание попробовать это еще раз.

Через пару дней мне поступила первая партия в сто колес, и я начал торговать. С марихуаной мне были открыты все дороги в мир богатых и знаменитых, но с экстази я и сам стал знаменитостью. Меня звали на все вечеринки, я перезнакомился со всеми второразрядными и третьеразрядными актерами, причем эти знакомства казались просто невероятными. Я завел себе телефонную книжку, куда записывал номера фотомоделей и официанток.

Мои новые поставщики не имели ничего общего с хиппарями из округа Гумбольдта и округа Марин, с этими лоботрясами с дредами, которые уже давным-давно умерли. Эти были *профессионалами*. Вскоре объем партий возрос от ста до тысячи доз. Мы их называли «лодками». Процесс купли-продажи был обставлен по-другому. Я приезжал в дом в пригороде Лос-Анджелеса, где жил высший средний класс. Мы курили кальян, я отдавал наличные и забирал спортивную сумку. Потом я принимал телефонные звонки и получал наводки. Итоговая наводка была такой: «Едешь по такому-то адресу и ждешь».

Что я и делал.

Словно из ниоткуда вырастали фигуры парней в темно-серых шерстяных шляпах и куртках, они обступали машину. Да, это были настоящие профессионалы — бизнес и ничего личного. К моему счастью, надо сказать. Дилетанты взяли бы восемь штук кэшем, которые я очень наивно протягивал им из окна, а потом сбежали бы или просто пришили меня на месте. И никто бы ничего не узнал, и никто не стал бы меня искать. Но они забирали кэш и возвращались обратно с тысячей таблеток, потому что знали, что я привезу еще больше.

«Бумажки по двадцать долларов больше не берем».

Я нервно посмеивался, что было очень глупо с моей стороны. Я вел себя как последний идиот и запросто мог схлопотать пулю в лоб. Я знал, что должен бояться, но риск манил.

Я покупал таблетки по восемь долларов и толкал их на рейвах по двадцать-тридцать долларов. У меня были знакомые барыги, которые работали на меня, друзья, которым вечно не хватало денег, — так что тысяча таблеток разлеталась как горячие пирожки. Иногда на это уходила всего пара часов. Мы могли со знанием дела рассказать покупателям, как действуют таблетки, потому что когда я получал партию, то первым делом разламывал таблетку. Одну ее половину я глотал, а другую измельчал в порошок и нюхал.

Я подружился с девчонками, которые были моими постоянными клиентками на рейвах, и однажды одна из них сказала, что ее мама хочет купить себе немного экстази. Сделка состоялась, а я начал встречаться с Дженнифер. Отношения развивались стремительно, как это обычно бывает, если они подогреваются наркотиками. Встревоженные родители боялись, что наш образ жизни небезопасен, и предложили нам переехать к ним, что мы и сделали. Наверное, такое бывает только в Малибу...

Зависимость усиливалась. Я принимал большие дозы экстази, не ел и не спал днями. Потом во мне что-то сломалось. Однажды я проснулся и подумал:

Так было **до теракта** одиннадцатого сентября **две тысячи первого года**, **и** с американским **паспортом не досматривали.**

«Господи, я чувствую себя дерьмово. Что я делаю? Я — барыга. Я продаю экстази на рейвах. Отвратительно». Я хотел исправиться, найти честную работу... Я думал об этом неделю или две, но деньги, азартная торговля и экстази делали свое дело.

Я торговал MDMA, но со временем многие знакомые переключились на более серьезные вещества — бутират и медицинский анестетик кетамин. Мне и моим друзьям посоветовали ехать на юг — в Тихуану[56], где можно легально купить все что хочешь. Ксанакс, валиум и так далее и тому подобное. Мы вели себя как дети в кондитерской. Закупали колеса пачками, запихивали их в тугие леггинсы или гольфы под джинсами и везли контрабандой через границу. Это было до теракта одиннадцатого сентября две тысячи первого года, и с американским паспортом не досматривали.

---

[56] Тихуана — город возле границы США и Мексики. — Прим. перев.

Вернувшись домой, мы толкали колеса с наценкой в восемьсот процентов.

Контрабанда кетамина предполагала другую схему. Кетамин поставлялся в пузырьках с жидкостью из ветеринарных магазинов. Мы покупали пузырьки, отвинчивали крышки и переливали прозрачную жидкость в пластиковые бутылки. Просто, как все гениальное.

Не считая одной осечки.

Я возвращался в США на автобусе, и меня тормознули на американской границе. Таможенник снял меня с автобуса и ткнул пальцем в бутылку.

— Что это?

— Ничего, — сказал я.

А это был чистый бутират.

— Глотни, — сказал он.

— Сейчас.

Я открыл крышку и глотнул. Хватило бы и одного маленького глоточка. Бутират накрыл меня сразу, но я не потерял самообладания, и агент разрешил вернуться в автобус. Я еле-еле влез. Плюхнулся на сидение и обосрался. В прямом и в переносном смысле. Наделал в штаны. Зато меня не поймали.

Вскоре вместе с Дженнифер мы снова поехали в Мехико. Там нас ждала крупная оптовая партия кетамина. Я вытащил большую котлету наличных, забашлял хозяину половину, а оставшиеся деньги положил в карман. Я уже имел с ним дело, и обыкновенно мы выносили товар с заднего крыльца, чтобы избежать любопытных глаз. Этот торгаш сказал:

«А что вы так быстро уходите? Может, подниметесь по лестнице? Мои ребята вам помогут».

«Чудесно, — подумал я. — Они помогут нам открыть все эти пузырьки и перелить в пластиковые бутылки».

Итак, я, Дженнифер и пятеро его ребят поднялись наверх и начали откупоривать пузырьки. Сначала ребята помогали нам, но потом двое парней свернули работу и странно засуетились, как будто что-то замышляли. Я понял, что они собираются нас пришить. Дело было в Тихуане в 1999 году, эти парни задумали нас прикончить, а трупы сбросить в сточную канаву, — никто бы ничего не узнал.

Меня охватило чувство, которого я никогда не испытывал прежде. Меня буквально жгло огнем. Пульсировали виски. Мой страх перерос в ярость, — я медленно запустил руку под рубашку, как будто там у меня был спрятан пистолет. Я взглянул каждому из этих пятерых в лицо. Думаю, в моих глазах они читали свою смерть. Они смотрели на меня не отрываясь. Я тоже не сводил с них глаз. Я не смел моргнуть или отвести взгляд в сторону. Секунды казались вечностью, я чувствовал, как пот струится по моей спине, но не шелохнулся. Слов не требовалось. Но они поняли, что если кто-то сделает хотя бы шаг в мою сторону — распрощается с жизнью.

В общем, они перебздели и попятились назад. А я сгреб весь кетамин и пластиковые бутылки в спортивную сумку. Много жидкости пролилось, но я не обращал на это внимания. Не вытаскивая руку из-под рубашки и не сводя глаз с ребят, я вместе с Дженнифер вышел из комнаты. И мы бросились бежать.

А ведь нас могли запросто убить. К сожалению, такие случаи стали для меня обыденностью.

***

В 1999 году рейвы устраивались каждую неделю. Дни проходили в наркотическом и сексуальном угаре.

В пятницу вечером мы принимали экстази и танцевали до воскресного утра, потом принимали ксанакс и дрыхли до вечера понедельника. Мы вставали поесть и снова ложились в постель. Всю неделю я был относительно трезвым, но потом все повторялось снова.

Я чувствовал себя неуязвимым. Я проезжал мимо полицейских с партией наркотиков, и меня пропускали без обысков. Я был осужденным преступником, и если бы они нашли у меня наркотики, то сегодня я сидел бы в тюрьме.

Прошел год, и тучи на горизонте начали сгущаться. В октябре мы выехали на открытие фестиваля Коачелла. К этому времени я принимал экстази в среду, иногда даже во вторник и не спал до воскресенья, а потом дрых два дня кряду.

Я смутно вспоминаю, как вместе с Давидом мы приехали к смешной и разбитной девице. Вместе с Эдем мы часто гуляли на вечеринках. Нам открыла маленькая девочка и взглянула на нас огромными голубыми глазами. Я никогда в жизни не видел таких глаз — они проникали в самую глубину моей души. И было совершенно ясно, что в этом есть какое-то предзнаменование.

— Кто ты? — спросила она.

— Я — Халил.

Дверь захлопнулась перед моим носом. Потом вышла Эдем. Она извинилась, и мы вошли. Пока она вертелась перед зеркалом, мы ждали ее в гостиной. А эта маленькая девочка все смотрела на меня своими огромными глазищами — невинными, но всезнающими. Я сидел и поеживался под ее взглядом.

В дверях я толкнул Давида в бок и сказал: «Однажды я женюсь на этой девочке».

Он только рассмеялся.

***

Я поднял бы на смех любого, кто сказал бы, что я — наркоман, что мне пора сбавить обороты, пора отдохнуть. Я сказал бы, что он просто завидует моему гламурному образу жизни. Но в маленьком и потаенном уголке своей души я знал, что я не кто иной, как двадцативосьмилетний барыга и торчок. Что моя жизнь складывается совсем не так, как я планировал, уезжая из Толидо. Но я обманывал себя, — я усмирил свою депрессию и панику и познакомился с тремя очень талантливыми музыкантами, которые брали меня в группу солистом.

Музыка играла очень важную роль в моей жизни, она и сейчас помогает мне выжить. Когда я играл с этими ребятами, мне казалось, что я приехал в Калифорнию именно за этим. Это было мое призвание. А наркотики и вечеринки прилагались в качестве довеска.

Парочка моих новых знакомых сидела на героине — *настоящем* героине, а не на смеси героина и экстази. Поначалу я его избегал. Я воображал, что мне обеспечен гламурный кайф экстази, доступный только фотомоделям и рок-звездам. А эти мои знакомые парни вдыхали пары героина на фольге и нюхали его с донышка пивных банок. Запах был отвратительный. Но как бы ни отталкивал меня героин, я был уверен, что обязательно попробую его — это лишь вопрос времени.

Как-то мы тусовались на вечеринке у моего друга Тодда — в его доме, в одном из каньонов возле Малибу. Он закатывал эпические вечеринки, которые напоминали мини-рейвы, и брал десять долларов за вход. На этот раз собралось более двухсот человек. Музыка давила на барабанные перепонки, все были

> Эта маленькая **девочка** **все** смотрела на **меня** **своими огромными** глазищами — невинными, но всезнающими.

под экстази, и все любили меня, потому что я был их барыгой. Я мог исполнить любые их прихоти, но всегда высмеивал тех, кто спрашивал героин.

— Эй, подгони нам немного хмурого.

— Когда мы попробуем герыч?

Цена на него шокировала, да и сами мысли о героине вызывали замешательство. Я пробрался в комнату Тодда. Там была своя вечеринка, где тусили самые отмороженные. Я был в своем репертуаре, моя дурь была лучшей марки, я обнимал всех девушек и всех своих друзей. Тут появилась группа парней, которые хотели вписаться в вечеринку, но у них не было денег. Это были друзья ребят, с которыми я исполнял музыку, поэтому я их провел на вечеринку, а они провели меня в комнату Тодда.

— У тебя есть колеса?

— Да, но они идут по двадцать долларов за штуку. А у вас, очевидно, нет денег.

— Ладно. Будем меняться?

— Буду ли я меняться? На что?

107

— Хочешь героин?

В комнате стало тихо.

— Хочешь или нет? — переспросил этот парень.

— Да, — сказал я. — Хочу.

— Дай мне пару колес.

— Сначала покажи героин, — сказал я.

Он достал миниатюрный желтый шарик и разорвал его зубами, обнажив черную, склизкую массу. Потом взял пустую пивную банку, отрезал донышко, перевернул и положил героин в эту сковородочку и щелкнул зажигалкой. От жара пламени героин растопился. Затем этот парень попросил ручку, отвинтил заднюю крышку, вытащил стержень и обрезал кончик. Так получилась соломинка. Он протянул ее мне.

Я уставился на него.

— Что это?

— Держи.

— Что мне с этим делать? Выпить?

— Чувак, здесь тебе не гребаное «Криминальное чтиво»[57]. Это сделка. Это героин. Возьмешь?

Присутствующие рассмеялись. Мне вспомнилось, как мои земляки потирали руки, злорадствуя, что я не еду в Калифорнию. В очередной раз я попадался в ловушку амбиций и своего эго.

— Да, да, — сказал я. — Разумеется.

— Смотри, — сказал он, вставил в нос соломинку и втянул капельку жидкости. — Вот как это делается.

И протянул мне ручку.

Я взял ручку и втянул остальное. Тут же по моему телу растеклась теплая немота. Я буквально сполз

---

[57] «Криминальное чтиво» — фильм Квентина Тарантино 1994 г.

вниз по стене. Приятное, легкое, умиротворяющее чувство. Я сидел, откинувшись на стену, и коктейль экстази, кетамина и героина исполнял музыкальную симфонию в моей голове.

Мне не нравились эти ребята, что предложили мне героин, но, как вы уже догадываетесь, я взял у них номер телефона. Мне хотелось еще. Мне понравилось это чувство. Но еще больше мне понравилась реакция людей, обалдевших от увиденного.

Вместе с тем я ненавидел героин. Эта вонь вызывала рвотные позывы, я весь чесался. Я расчесывал ноги, руки и нос до ссадин. Когда Дженнифер спросила, почему я на героине, я рассмеялся и сказал: «Потому что я музыкант!»

Скажу, что героин вернул мне то, в чем я всегда нуждался. Он вернул мне детство. Мой мозг иссыхал от экстази, ЛСД, кетамина, бутирата, грибов и всего остального. Ясно, что удовольствие, насильственно извлекаемое мной из области среднего мозга, мой роман с запрещенными химическими веществами — все это не могло длиться вечно. Героин был другой. Один вдох — и я ощущал мир и покой, исчезали депрессия, тревога, голод, боль... Не было *ничего*. Я ни от кого не зависел, я был в безопасности, я был спокоен и бесстрашен. Тепло разливалось в груди. Я сочинял песни и стихи, почти все время витал в облаках, пребывал в полусонном состоянии, грезил наяву.

Из-за нового романа с героином у меня не оставалось времени на ежедневную торговлю веществами, но я все-таки обстряпал пару делишек. Эта была большая оптовая партия кетамина, которую я продал известному организатору голливудских рейвов. На деньги, которые сами плыли в мои руки, я прикупил солнечные

> **Музыка** играла **очень
> важную** роль в **моей
> жизни, она** и сейчас
> помогает мне **выжить.**

очки John Paul Gaultier, кольца Chrome Hearts и разгуливал по улице как кинозвезда со свитой из трех охранников.

Поздним вечером я был на концерте в «Малибу Инн», паря высоко, как бумажный змей, под героином и экстази. Я вышел на улицу покурить и увидел там этого актера. Назовем его Джеймс. Он сидел за столом со стайкой девочек. Со мной тоже были девочки, и он жестом подозвал меня к себе.

— Здорово, садись.

Я плюхнулся за стол, испытывая эйфорию от коктейля химических веществ.

— Хочешь дунуть?

Я понятия не имел, что он хочет сказать, но не подал виду.

— Да, конечно.

Он протянул мне стеклянную трубочку. Я вдохнул. Мой приход был молниеносным и совершенно ошеломительным. Мне казалось, что я сейчас умру от разрыва сердца, но я не видел в этом ничего плохого. В ушах зазвенело.

Я схватился за ручки кресла, боясь, что катапультируюсь в космос. Какое-то оргиастическое состояние. Мое тело еще не было знакомо с такими сильными веществами, и не было никакого сомнения в том, что я совершил ошибку, попробовав их. Смертельную ошибку. Я чувствовал себя грабителем банка, который вынес тапки вахтера, но это было офигительно.

— Боже мой, — пробормотал я.

Это был крэк. Впрочем, никто в Малибу не называл его крэком — это сленг наркоманов из гетто. Здесь его называли «свободное основание» или просто «основание». Этот вид кокаина можно курить, он стал известен в семидесятые годы. Кокаин обрабатывался эфиром. Но мы курили кокаин, обработанный водой и пищевой содой, также известный как крэк-кокаин. И чтобы не парить себе мозги, мы всегда называли его «свободное основание».

Джеймс улыбнулся и пригласил меня на вечеринку к своему другу. Там мы курили крэк до рассвета. Потом я вернулся в дом Дженнифер. Я сам не верил в то, что натворил. Я чуть не залился слезами, когда разбудил ее и сообщил: «Я курил гребаный крэк всю ночь напролет. Это мерзость».

Я сказал ей, что это все равно что сосать член дьявола.

— Я чувствую зло. Никогда, никогда больше не попробую это дерьмо.

Меня хватило на два дня.

Я позвонил Джеймсу. Поехал к нему домой с героином, которого хватило бы, чтобы прикончить целый взвод. У него нашлось тридцать доз по грамму уже готового крэка. Мы курили три дня подряд. Я был неуязвимым. Я был всемогущим. Я не умел играть в баскетбол, но был уверен на все сто, что если выступлю в «Лос-Анджелес Лейкерс», то завоюю все призы, хотя во мне росту было сто семьдесят четыре сантиметра. Когда это наконец-то закончилось, на меня опять навалилась тоска, я снова почувствовал себя отвратительно и мерзко. Это был ужасный панический приступ. Хуже, чем похороны любимой девушки. Но я обнаружил, что, если выкурить большую дозу героина, мои чувства заснут, и сам я тоже провалюсь в сон.

Окружающие понимали, по какой дорожке я иду, но «дорожки» кокаина были сильнее. Я курил героин каждые три часа три месяца подряд, и теперь я сидел на крэке. Друзья пытались открыть мне глаза, но я только отшучивался, смеялся над ними, заявляя, что они — слабаки и что «тяжелые» наркотики им не по зубам.

Вместе с Дженнифер мы снимали дом в каньоне Декер. Однажды утром я вылез из постели, открыл шкафчик с наркотиками, как я это всегда делал по утрам, достал соломинку, расстелил фольгу, положил кусочки мази (героин), подогрел их и начал вдыхать пары. У нас часто ночевали гости. У Дженнифер была сестренка Эми. Она спала на кушетке, но вдруг открыла глаза и несколько минут смотрела на меня.

— Что ты делаешь? — спросила она.

Я курил мазь и не реагировал.

— Ты о чем?

— У тебя не нашлось другого времени?

— Что? Ты о чем?

— Воскресное утро, половина девятого, — ответила Эми. — Зачем ты это делаешь?

— Что такого? Мне надо немного подлечиться.

— Почему не бросишь?

— Потому что не хочу.

Потом Эми сказала:

— Ради меня бросишь?

— Я могу бросить в любое время, когда захочу.

— Что, прямо в любое?

— Ну, конечно же, Эми. Я могу бросить в любое время, когда только захочу.

— Чудесно, — сказала она. — Бросай сейчас же.

Она бросила мне перчатку, и я ее поднял.

Я убрал фольгу и соломинку в шкафчик.

— Без проблем.

Скептическое выражение не сходило с ее лица.

— Итак, ты бросаешь сейчас? Я правильно тебя поняла?

— Да, абсолютно.

Я смотрел «На игле»[58]. Я выиграю это пари.

— Чудесно, — повторила она. — И что мы будем теперь делать?

— Забронируем номер в гостинице. Мы поедем в Тихуану, запасемся ксанаксом и валиумом. И возьмем грамм героина — так, на всякий случай. Надо подлечиться.

Я выкинул все. Все эти мерзкие трубочки, соломинки, зажигалки. Мы поехали в Санта-Монику, там я купил грамм героина и передал Дженнифер. Она кинула его в бардачок, и мы покатили на юг. В Тихуану.

Поток машин не ослабевал, и через три часа тяжелой дороги я почувствовал недомогание. Это была поганая, жуткая тошнота, незнакомая мне прежде. Не знаю, что это было. Я подумал, что это грипп.

---

[58] «На игле» — фильм Дэнни Бойла 1995 г.

113

«Знаете что? — сказал я. — Давайте остановимся и снимем гостиницу. Завтра мы поедем в Тихуану и возьмем таблетки».

Мы поселились в гостинице неподалеку от границы, и я проспал до десяти часов вечера. Проснувшись, я взорвался фонтаном рвоты и поноса. Я не успел вскочить с постели. Я бился в судорогах. Дженнифер и Эми налили мне колы, и она тут же пошла обратно, то ли через задний проход, то ли через рот. Это продолжалось всю ночь. Я был покрыт дерьмом и блевотиной с головы до ног и всю ночь кричал не переставая. Дженнифер вместе с сестрой лежали на другой стороне кровати, зажимая ладонями уши. Эти звуки напоминали изгнание бесов. Эми захлебывалась рыданиями.

Я был уверен, что умру. Я не понимал, что со мной творится, я не знал, что это ломка. Я думал, что со мной случилось что-то серьезное, что я подхватил смертельно опасную болезнь.

На следующее утро комната напоминала поле боя. Стоял несносный запах. Мы собрали свои вещички и смылись. Пересекли улицу и зарегистрировались в другом отеле. В короткую минуту просветления я вспомнил, что видел ломку раньше. Однажды я покупал героин у одного торчка, его звали Крис. Мы встретились с ним в «Макдональдсе». Он привел своего дружка — очаровательного малыша Хантера. Я должен был везти их к барыге, чтобы они купили мне грамм.

Вдруг Хантера затрясло. Он позеленел.

Он сказал: «Притормози».

Потом выскочил из машины, подбежал к урне и его стошнило.

«Что с ним?» — спросил я.

Один вдох — И я ощущал **мир И ПОКОЙ,** исчезали **депрессия,** тревога, голод, боль...

«С ним все в порядке, — вмешался Крис. — Он просто ослаблен».

«Ослаблен? — недоуменно спросил я. — О чем ты говоришь?»

«У него ломка, — продолжал Крис. — Он на отходняках. Но он поправится. Надо чуток мази».

Это воспоминание не шло у меня из головы, я скорчился, меня бил озноб, я покрылся гусиной кожей. Все вокруг провоняло. Рвота не прекращалась. Все мое тело разболелось. Я хотел принять душ, но струи воды жгли как огонь. И холодная, и горячая вода причиняла боль.

Тогда я не понимал, что все эти три месяца я принимал сильное болеутоляющее. Героин заменил мне весь мой естественный дофамин, и мой организм не знал, как без него обходиться.

Меня рвало, я рыдал и говорил Дженнифер: «Мне надо лечь в больницу. Я даже знаю, куда можно лечь».

Задолго до того, как я стал законченным торчком, — еще тогда, когда я просто мыл машины
и торговал марихуаной, — в доме у Эксла я познакомился с одним парнем. Его звали Шэннон.
Он был из Индианы, из штата, расположенного
по соседству с моим родным Огайо. И мы подружились. Только что Шэннон свел диск с группой
Blind Melon[59] и был счастливее «кобеля с двумя ел-
даками», как он сам выразился. Мы поддержива-
ли связь, но не встречались, пока однажды он мне
не позвонил и не сказал, что лежит в клинике в Марина-Дель-Рей. Клиника называлась «Исход». Пару
раз я его навещал. Теперь я понял, что пришел мой
черед ложиться в «Исход».

Дженнифер и Эми повезли меня в клинику, я велел им ждать в машине. Не то чтобы я всерьез хотел
ложиться в клинику, — я просто хотел взять лекарство
от ломки. Больница была обнесена высоким забором,
и когда две медсестры входили со служебного входа,
я проскользнул за ними вслед.

Я подошел к регистратуре, — трясучка не прекращалась, меня немного подташнивало. «Мне нужно лекарство. Я боюсь, что умру».

Сестра взглянула на меня: «Так. И в чем дело?»

— Мне нужно только лекарство. Боюсь умереть.

Тут вмешался стажер.

— Секундочку. Где ваш браслет?

— О чем вы? — удивился я.

— Кто вы такой? — спросил он.

---

[59] Blind Melon (с 1990 г.) — американская рок-группа,
основатели гитарист Роджерс Стивенс, басист Брэд Смит
и вокалист Шэннон Хун.

— А... Хм-м-м... Ну... мне... мне просто нужно лекарство.

Они вызвали охранников. Дюжие молодцы поволокли меня к выходу, я плакал и трясся как осиновый лист. Тут из кабинета случайно вышел какой-то врач, и я взмолился: «Прошу вас, помогите мне. Неужели вы не можете мне помочь?»

Его звали доктор Вальдман. Он жестом остановил охранников и обратился ко мне: «Что с вами?»

Я сказал: «У меня ломка, я боюсь умереть. Прошу вас, помогите. Вы помогли моему другу Шэннону, когда он был здесь».

— Шэннону? Кто такой?

— Шэннон Хун, — отвечал я.

— У вас есть страховка?

— Нет.

— Деньги?

— Нет, — сказал я. — Вы же видите, что я — торчок. Мне нужна помощь. У меня в машине грамм героина, но я не хочу его употреблять, так как потом все начнется снова.

Доктор Вальдман спросил: «У вас в машине грамм героина, и вы не хотите его использовать?»

— Ага.

Он недоверчиво на меня посмотрел и сказал: «Покажите».

Мы пошли к машине. С нами был один из санитаров. Его звали Нил.

— Дженнифер, дай сюда грамм.

Она смущенно посмотрела на меня. Потом открыла бардачок и протянула мне пакетик. Я передал его Нилу. Он заглянул внутрь и сказал: «Провалиться мне на этом месте. Очень впечатляет».

117

В этом **мраке была** одна интересная **особенность: наркотик без** моего **ведома** украл у **меня душу, он разрушал** *мою жизнь.*

— Иди за мной, — сказал доктор Вальдман. Он велел Нилу спустить пакетик в унитаз.

Мы пошли в кабинет, где он задал мне несколько вопросов, измерил давление и простукал грудь.

— Я должен вам сказать, что это просто ломка. Все будет в порядке.

Он прилепил пластырь клонидина на мое плечо, и я сразу почувствовал себя лучше.

— Носите его два дня и пейте как можно больше жидкости. От этого не умирают. Вы выздоровеете.

Он сказал, что через неделю я должен прийти и пройти полное медицинское обследование организма. Он был так любезен, что пригласил меня на еженедельные собрания для пациентов и для тех, кто стал на трезвый путь. Но я туда так и не пошел. Как и многие наркоманы, я пережил кризис. Теперь мне было хорошо.

Мне было хорошо.

Один месяц.

* * *

Первые пять дней были критическими. Когда они прошли, я подумал: *«К черту! Я справился»*. Я повторял эту мысль как мантру.

Вместе с Дженнифер мы бросили дом в каньоне Декер, мебель — мы бросили все. И переехали к Давиду. Он жил в другом каньоне в Малибу.

«Вы можете здесь жить, но наркотики я запрещаю», — отрезал Давид.

Дженнифер твердила то же самое: «Наркотики запрещены, Халил. Пожалуйста, никаких наркотиков».

— Их не будет. Я обещаю.

Даже я в это верил. Я завязал с наркотиками, завязал с отходняками, завязал со всей этой грязью. Это был двухтысячный год, начинались новое тысячелетие и новая эпоха.

Однажды зазвонил телефон. Это был режиссер, которому я возил героин пару раз, — этот человек мне нравился.

— Слушай, друг, не привезешь мне еще немного мази? — спросил он.

— Конечно.

Я не думал ни о чем. Очевидно, что на этот раз я покупал не для себя. В этот день я сотни раз клялся, что завязал. Я поехал в Санта-Монику, купил полтора грамма и отправился домой к этому режиссеру. У него был особняк на берегу океана, но я никогда не заходил внутрь, — все наши устные договоренности заключались у парадных ворот. На этот раз все было по-другому. Он как будто даже просиял от радости, когда меня увидел. Хозяин впустил меня в дом, и я протянул ему грамм. Еще полграмма оставалось у меня в кармане, но я даже не думал, как так получается.

— Хочешь немного?

— Нет, нет, я завязал.

— Уверен?

За все время нашего разговора он предлагал мне раз пять.

И все пять раз я отнекивался.

— Мне и так хорошо. С героином кончено.

— Как знаешь. Ладно, у меня сейчас массажистка, но ты можешь отдохнуть. Потом мы поговорим о твоей музыке.

— Поговорим, — сказал я.

Я был абсолютно уверен, что «массажистка» была проституткой, но кто я был такой, чтобы судить? Он сказал, чтобы я чувствовал себя как дома, и поэтому я не упустил возможности осмотреть громадный дом. Я был совершенно очарован, когда увидел огромный красивый бассейн и океан прямо за ним, причем казалось, что воды первого и второго сливаются. Я расположился на большом плюшевом шезлонге и слушал шелест волн. Но внутри у меня нарастало некое чувство. Героин звал меня. Он призывал мою душу. Он манил меня, как сирены манили усталых моряков. Это было томление духа.

И героин победил.

Я подумал: *«Что, если я попробую кусочек? Так мы поладим. И клиенту не будет совестно, что он торчит у меня на глазах».*

Я пошел на кухню, приготовил кусочек, вдохнул, и меня тут же вырвало в раковину.

— Что за черт!

Возник сильный страх. Я вдохнул еще раз, и меня снова вырвало, только на этот раз еще сильнее прежнего.

С другого конца дома я услышал голос режиссера.

— Эй, ты в порядке?

— Разумеется. Я просто кашляю. Со мной все отлично. *Кхе, кхе, кхе.*

Я подумал: «Попробую покурю еще немного мази. Успокоюсь и расслаблюсь заодно». Поэтому я курил еще и еще. Когда он вернулся, я уже был на седьмом небе. Смахнув остатки героина в карман, я убрался из его дома со всей быстротой, на которую был способен. И отправился к Давиду. Мне казалось, что наш разговор никогда не кончится. Пока Давид говорил, я думал только о своем кармане и его содержимом.

Наконец-то Дженнифер улеглась в постель, а после нее — и Давид. Я же заперся наверху в ванной, предварительно захватив с собой фольгу, зажигалку и соломинку. И просидел там всю ночь, докуривая кусочки, останавливаясь только затем, чтобы блевануть в раковину. Потом героин кончился. В считаные часы я не только вернулся в прежнее состояние, — все было гораздо хуже. Ведь я солгал людям, которые меня любили. Теперь, когда садилось солнце и все засыпали, я ехал в Санта-Монику, принимал свою дозу и возвращался к Давиду засветло. А когда они просыпались, я готовил им завтрак.

Даже когда ежедневные траты на героин возросли с десяти долларов до трехсот, я прятался. Режиссер платил мне тысячу долларов за грамм, хотя он стоил около ста, остальное я тратил на себя. Я вернулся обратно в игру. Я начал ездить в даунтаун Лос-Анджелеса, покупал грамм за тридцать долларов и перепродавал.

У моего романа с героином был непродолжительный медовый месяц, а потом все полетело ко всем чертям. И сам я летел вниз с обрыва в кромешную тьму. Мнение окружающих меня больше не волновало. Дженнифер была расстроена и злилась, но даже она не знала, насколько плохо обстоят дела. Она думала, что я употребляю для развлечения и в любую минуту могу завязать. Но корабль уже поплыл. Героин знал, что я плотно сижу на крючке, и теперь сбросил маску, явив свою истинную звериную сущность.

Как я уже сказал раньше, это было томление духа. В этом мраке была одна интересная особенность: наркотик без моего ведома украл у меня душу, он разрушал мою жизнь.

Дженнифер подсела вместе со мной. Это был только вопрос времени. Она стала наркоманкой еще в юном возрасте. В двенадцать-четырнадцать лет она начала с «легких» наркотиков, курила винт. Ее генетическая предрасположенность к зависимости и мои усердные поиски забвения были неразрывно связаны между собой.

***

Потом я встретил кореша Манни в «Coffee Bean» в Малибу. Наверное, ему было за полтос, но выглядел он на все семьдесят. Мы подружились, Манни рассказывал мне истории из своей молодости. О том, как он был джанки в Нью-Йорке. Есть *разница* между торчком и джанки. Я был торчком — сидел на экстази, бутирате, кетамине, героине и крэке. Это было ужасно, но я не был джанки. Джанки вмазываются. А я просто *курил* мазь. Я уверял себя, что еще не опустился на самое дно, потому что никогда не буду колоться. И тут

> Смесь героина **и кокаина** — это самое **опасное, что может быть,** поскольку сердечный **ритм ускоряется и замедляется** *одновременно.*

в моей жизни появился этот престарелый джанки и дал мне пинка под зад. Он пил и курил марихуану, но не кололся двадцать три года.

Всякий раз, когда мы сидели с ним вместе, я предлагал ему покурить со мной. И всякий раз он смеялся и говорил: «Нет, ты только пускаешь героин по ветру. Ты расточителен». Его слова казались мне глупыми и заносчивыми.

Манни отказывался курить героин, но он охотно общался и заводил новых друзей. У себя дома он устроил звукозаписывающую студию, где мы часто расслаблялись и музицировали. Итак, моя жизнь выглядела следующим образом: я курил героин и крэк в доме Манни, музицировал, а потом валялся в ногах у Дженнифер и уверял ее, что наркотики нам не повредят.

Мы пробовали бупренорфин в стеклянных ампулах для внутримышечных инъекций. Лекарство от опиатной наркозависимости. Мы делали друг другу уколы в трицепс. Было адски больно, но симптомы ломки исчезали. И в любой момент мы могли снова садиться на героин. Страх пропадал. Мы больше не боялись ломки, так почему бы и нет?

Но однажды ночью ломка была просто нестерпимой. Даже на бупренорфине. Мы с Дженнифер разругались, потому что она собиралась ехать к сестре, а я хотел, чтобы она осталась со мной.

«Я поставлюсь героином, — орал я, — если ты уйдешь».

«Валяй», — сказала она и ушла. Как мой отец тогда — в минуту расставания со мной.

Я поехал в дом престарелого джанки Манни и заявил ему с порога: «Ты всегда говорил, что я трачу героин попусту. Теперь я хочу попробовать так, как надо. По-честному. Если не покажешь, я вмажусь сам и, возможно, умру».

«Тпр-р-р-у! Полегче на поворотах, — осадил меня он. — У тебя нет даже игл».

— Почему нет? Я принес.

И я показал ему внутривенные иглы от бупренорфина. Он поколебался.

— Ладно, только я хочу кое о чем тебя предупредить.

— О чем это?

Он пристально посмотрел мне в глаза и сказал: «У джанки не бывает Рождества».

— Что за пургу ты несешь? Припугнуть меня вздумал, да?

— Запомни, что я сказал. У джанки не бывает Рождества.

— Срать я хотел на Рождество. Ну что, попробуем? И я достал одну из моих игл.

Он покачал головой и отвел мою руку в сторону.

— Пошли.

Мы спустились вниз по лестнице. Там стоял ящик для инструментов, который всегда был под замком. Я думал: надо же, как странно — он никогда не прятал свой бумажник и наличные, при том что в его доме тусовались торчки, но он всегда держал под замком этот старый ящик для инструментов. Он отыскал подходящий ключ на связке и открыл ящик. Там лежали ровные ряды герметически упакованных шприцев, резиновых жгутов и проспиртованных ватных тампонов.

— Откуда у тебя все это говно? — удивился я.

— На всякий случай.

— На случай чего?

— Апокалипсиса, — хмыкнул он.

Он достал шприц и перетянул мою руку жгутом. Затем положил мазь в гнутую чайную ложечку и подогрел на зажигалке, пока она не закипела. После этого он скатал пальцами ватный шарик и окунул его в жидкость. Героин впитался в ватку, как в губку.

Манни вонзил иглу в ватку и повел поршень вверх. Героин высасывался из ватного шарика, а я неотрывно наблюдал, как он медленно уходит в пластиковый контейнер. Манни положил ложечку и повернулся ко мне. Я думал, что он хочет спросить, готов ли я — это серьезно или я шучу? — но он просто ввел иглу в сгиб локтя. Он надавил на шприц и снова повел поршень вверх, и в грязной коричневой воде распустился алый шлейф крови. Моя кровь бурлила в ней. Завораживающее зрелище.

— Что ты делаешь? — спросил я.

— Набираю контроль.

— А-а-а.

Пока я тянул нараспев букву «а», он надавил на поршень. Тепло волнами бежало по моей руке, словно

Наркотики и ЯРОСТЬ СОРВАЛИ маску приличия, которую Я напяливал на себя, и весь мрак моей души вырвался на поверхность.

кто-то вливал в мое горло парное молоко. Тепло растекалось по всему телу. Ни один из наркотиков, которые я принимал до сих пор, не дарил мне таких ощущений.

Я онемел.

Я не мог двигаться.

Я ничего не чувствовал. Не было боли. Не было печали. Не было тревоги. Я никогда не знал любящих рук матери, которые бы обнимали меня, но, похоже, это было именно такое чувство. Как будто сам Бог держал меня в своих объятиях. Я подумал, что все будет хорошо.

Все было хорошо.

Если бы я выкурил героина на двести долларов, то получил бы только десятую долю этих ощущений. Этот укольчик стоил менее десяти долларов, а эффект от него длился много часов. Старый джанки был прав: я пускал героин по ветру.

Я улыбнулся ему, уплывая в блаженную эйфорию. И нисколько не удивился, когда он повернулся ко мне спиной, приготовил себе немного моего героина и тоже поставился.

***

В доме старого джанки я провел пару недель, ширяясь каждые два часа. У него была куча денег, которые достались ему по наследству (еще до войны), ему некуда было идти, нечего было делать. Потом меня разыскала Дженнифер. Поскольку она сама была наркоманкой, то не разглядела кровоподтеки, дорожки и корочки, которыми были покрыты мои руки — она только видела, что я чувствую себя фантастически.

— Хочу попробовать, — заявила она.

— А вот и нет, — сказал я. — Только через мой труп.

Мы дрались неделями. Я знал, что это совершенно идиотская затея, но она думала, что я тяну одеяло на себя. В итоге она меня доконала. Месяц мы мешали кокаин с героином и готовили спидболы. В конце концов мы достигли высшей точки забытья. Нет ничего сильнее спидболов — это все равно что лететь головой вниз на американских горках и испытывать при этом оргазм. Похожее чувство я испытал, когда впервые попробовал экстази. Вмазываясь, я всякий раз думал: *«Я хочу, чтобы это длилось до конца моих дней»*.

И пока я сидел на спидболах, меня не волновало, сколько мне еще осталось жить. Мне было плевать на все остальное. Смесь героина и кокаина — это самое опасное, что может быть, поскольку сердечный ритм ускоряется и замедляется одновременно. Попробовав спидбол в первый раз, многие торчки умирают. Я все это знал, но мое возбуждение только росло.

Я был на марафоне и вмазывался каждые двадцать-тридцать минут. Я начал ездить в даунтаун Лос-Анджелеса, где покупал героин и крэк большими дозами.

127

Там были наркопритоны и бордели, замаскированные под отели «Сесиль» и «Росслин». Я снимал комнату и оставался на несколько дней, а иногда жил там целыми неделями. Сначала я использовал стерильные иглы из медпакетов и выбрасывал их после первого применения, но вскоре я уже кололся старыми иглами, я делал это снова и снова. Они кривились, ломались, покрывались сгустками запекшейся крови, но мне было пофиг. Я вливал это говно в вены с фантастической быстротой. Ничто меня не могло остановить.

Спидболами вмазываются, чтобы испытать оргиастический кайф. Эта игра придумана для тех, кто стучится в двери смерти и гадает: откроются они или нет? Концентрация и эффект героиново-кокаиновой смеси все время меняется, иногда — каждый день, поэтому очень трудно не накосячить. Отсюда и постоянные передозы. Менее чем за год я лежал в больничке семь раз. Еда и помывка отступили на задний план и теперь казались напрасной тратой времени. Когда я перестал протирать вены, то занес инфекцию, и на руках высыпали гнойники. Потом нарывы распространились по всему телу. Много раз я промахивался мимо вены, и у меня появились кисты, которые тоже инфицировались. Я жил в состоянии паранойи, которая стремительно переросла в кокаиновый психоз. Я впадал в приступы безудержной ярости, переругивался с Дженнифер, и, как правило, наши скандалы заканчивались дракой. Мы жили в гостиницах, носили с собой ножи в целях самообороны и несколько раз чудом не прирезали друг друга. Ее семья хотела положить непутевую дочь в клинику, и нас искали. Поэтому мы переезжали с места на место. Все это казалось нормальным.

Потом мы получили весточку от ее семьи. Умерла бабушка Дженнифер и оставила ей много денег. Она была писательницей, и все отчисления теперь переходили к Дженнифер. Знаю, о чем вы подумали. Сколько дней нам понадобилось, чтобы пустить деньги по вене? И все-таки мы протрезвились и решили, что пора почиститься. Мы сняли квартиру на берегу океана, так как я надеялся, что вода, солнце и купания в океане вытянут дурь из моих вен. И я избавлюсь от депрессии.

Вся мебель была новая. Это была чудесная мебель, и мы убеждали друг друга, что она слишком дорогая, чтобы ее ломать. Но мы упускали из виду, что уже в третий раз переезжаем на новую квартиру с новой мебелью, надеясь стать чистыми. Мы даже заключили очередной пакт — уже третий по счету. Два предыдущих мы благополучно нарушили. «Мы не будем вмазываться в этой квартире», — пообещали мы друг другу и в этот раз.

Мы продержались меньше двух суток, а потом снова вмазались на новеньком диване, в прекрасной новой квартире. Из нашего окна открывался вид на океан, но мы завесили окна плотными шторами и больше не открывали их никогда.

Я совершенно не представлял, как низко я пал, пока нас не навестил мой друг Кристиан из Ванкувера. Он все понял с первого взгляда и сказал: «Я дам тебе пятнадцать тысяч долларов, если ты слезешь с иглы на одну неделю».

Я торчал и поэтому подумал, что неправильно его расслышал: «Пятнадцать кусков?»

— Наличными.

— Очень глупо с твоей стороны, — сказал я. — Ты что, шутишь?

— Нет, не шучу.

— Полный маразм... ты серьезно думаешь, что я проиграю это пари?

— Я не хочу, чтобы ты проиграл пари. Я хочу, чтобы ты победил, — ответил он.

Пари казалось сущей безделицей. Почему он предложил именно эту сумму и с какой целью? В любом случае пятнадцать кусков выглядели заманчиво. Шальные деньги.

— Договорились, — сказал я.

Мы ударили по рукам, и я начал думать, на что потрачу деньги. И продержался до вечера. Смеркалось, и я знал, что барыги в Санта-Монике скоро закрывают точку. Я был унижен. Не смея глядеть ему в глаза, я пробормотал: «Мы можем начать завтра?»

Он глубоко разочаровался во мне. Я читал в его глазах: «Да, конечно, мы можем начать завтра».

Завтра никогда не наступило. Без ширева и крэка я не продержался и нескольких часов.

***

Мы катились по наклонной. Вместе с Дженнифер мы ходили в фонд «Телезис» — амбулаторию детоксикации наркоманов, возглавляемую сумасшедшим стариком Джерри. Когда мы посещали собрания, он выдавал нам лекарства, которые сглаживают ломку — валиум, ксанакс, викодин, сому. Мы доплачивали и переламывались на бупренорфине, потому что с ним был гарантирован результат. К тому же мы любили нюхать кокаин, так сглаживался побочный эффект.

В «Телезисе» собирались замечательные люди. Понятно, что в шоу-бизнесе наркотики употребляют сверх

Я всегда **был верен** своим принципам **и всегда был**

максималистом, и поэтому,

достигнув **дна**, Я **взял лопату** *и*

принялся рыть вглубь.

всякой меры. Только в «Телезисе» меня научили не говорить: «Круто, друг, сегодня ты выглядишь более или менее», — потому что в десяти случаях из десяти это он *был* более или менее, а я оставался в дураках.

Я сошелся с одним из этих людей. Из соображений конфиденциальности мы назовем его просто Стив. К нашему удивлению, Стив выглядел еще более классным парнем, чем на экране, хотя это казалось невероятным. Он рассказывал увлекательнейшие истории о людях из кинобизнеса, и у него был самый лучший голливудский кокс. К этому времени я уже закупался героином высшего сорта по оптовым ценам. Все было так хорошо, что даже не верилось.

Я познакомил его с Дженнифер и со всеми торчками в доме Манни, где все его полюбили с первого взгляда. Мы тусовались целыми днями. Однажды ночью, когда очередная попойка близилась к концу, мы приехали к Манни. Я впал в жесткий параноидальный психоз, потому что нанюхался кокса и не спал несколько дней. Слоняясь по дому, я застал Стива вместе с Дженнифер. Они оживленно беседовали.

В голове не было никаких мыслей. Вместе со Стивом я купил несколько граммов кокса и героина и ставился последним. Пошатываясь, я влез по лестнице и вмазался. Когда я спустился вниз, Стив и Дженнифер мило сидели рядышком, шептались и хихикали.

Где были мои глаза раньше? Как я мог быть настолько слепым? Я завидовал Стиву, его успешности, и теперь этот засранец хочет украсть мою девушку? Заметив, какие взгляды Дженнифер бросает на Стива, я взбесился.

И направился к ним.

— Дай немного кокса.

— Был, да сплыл, — ответил Стив. — Дай немного своего героина.

— Мать вашу, — сказал я. — Дай немного кокса.

— Кончился. Я серьезно.

Я не верил. От меня что-то скрывали, у них были какие-то секреты от меня. Я в гневе вылетел из комнаты и совершил единственный логичный поступок, который только мог прийти в мою голову. Я пошел курить крэк. Если сначала у меня была паранойя, то теперь начался настоящий психоз. Я следил за ними. Они поглядывали на меня, замечали мой пристальный взгляд и шептались снова. Я окончательно разбушевался и начал задирать Дженнифер.

— Ты все врешь! Эй вы, у вас есть кокс! Все мне известно. Чума на оба ваших дома! Да мне на вас насрать! Уматывайте отсюда! Вы вольны делать все, что хотите. Ты, Дженнифер, — гребаная идиотка!

К сожалению, такое поведение было в порядке вещей. Когда я торчал, то постоянно матерился и грозился покончить с собой, если она меня бросит. Я умолял ее никогда не оставлять меня одного, и она убеждала меня, что мы всегда будем вместе. Это повторялось сотни раз.

Меня было не остановить. Я ругался, орал и набрасывался на Дженнифер с кулаками. Я был уверен, что Стив вмешается и прекратит эту отвратительную сцену или, что еще хуже, заступится за нее. Он был покрупнее, чем я, да и вообще поговаривали, что он довольно выносливый говнюк. Впрочем, я был одержимым психом. И он это знал. Наркотики и ярость сорвали маску приличия, которую я напяливал на себя, и весь мрак моей души вырвался на поверхность. Все молчали. Они безропотно смирились с моей атакой, которая сопровождалась ненавистью, обидами и угрозами. Я побежал наверх, как капризный ребенок, заперся в одной из ванных комнат и принялся докуривать заначенный крэк. Чуть позже — даже не знаю, сколько времени прошло, — я спустился вниз и стал разыскивать Дженнифер и Стива. Но они ушли.

Я расспрашивал всех: «Где Дженнифер и Стив?»

Никто не знал.

— Вы — гребаные идиоты! Где они?

Рассветало. Тусовка подходила к критической точке, когда все уже под кайфом, наркотики кончились, а страсти лишь накаляются. Вскоре все шумной толпой повалили из дома Манни. Я пошел вслед за всеми. Мне казалось, что на улице я обязательно отыщу Стива и Дженнифер.

И я нашел их. Они шли прочь, уходили вместе с вечеринки. А я остался позади. Во мне все умерло. Я знал, как это понимать. Они поедут за наркотиками, обдолбаются и будут трахаться. Я не мог этого выносить.

У многих, кто попадает в аварию, события разворачиваются как в замедленной съемке.

«Ладно, ну ее к черту, — подумал я. — Вот оно как, значит. Ну ладно, пора. Пойду и убью себя».

Я вошел в дом, поднялся вверх по лестнице и оприходовался героином. Спускаясь вниз, я увидел, что последние гости уже разошлись, и я был рад этому.

Я думал: *«К черту вас всех. Никогда вас больше не увижу, гребаные вы говнюки».*

Вскоре остался один только Манни, который был в полной прострации и дрых на своей кровати. Я поднялся наверх в кухню, взял ковшик и шприц на двадцать семь кубов. Потом я взял весь оставшийся героин — полтора грамма — и пустил в расход. Я набрал его в шприц до последней капельки и торжественно повел поршень вниз.

Вдруг стало тепло.

Я воспарил к потолку.

Я был где-то в другом месте. Было чертовски холодно и темно, но я оставался в полном сознании и отчетливо воспринимал происходящее. Не было никакого кайфа. Мой ум был ясен. Я пытался понять, что происходит. Потом до меня дошло.

Боже мой! Боже мой!

Мать твою! Мать твою!

Я это сделал.

Я умер.

Боже мой! Мать твою!

Вокруг сгустились холодные мрачные тучи, потом горизонт прояснился. Я видел себя лежащим на полу кухни Манни.

Боже мой. Я умер.

Я наблюдал происходящее как в замедленной киносъемке, хотя Манни пронесся мимо моего тела, как метеор. Он говорил по телефону. Он метнулся к морозильнику, вернулся обратно и нагнулся надо мной. Он что-то сделал с моей шеей и побежал обратно к морозильнику. Несколько раз он бегал взад и вперед, и я понял, что он обкладывает мою шею мороженым.

Что за черт? Мороженое?

Потом я понял, что он пытается сохранить мой мозг — чтобы тот нормально функционировал, когда я выйду из комы.

Удачи тебе.

Я мертв, черт побери.

Мне крышка.

В комнату ворвались незнакомые люди. Они вывели Манни и столпились вокруг меня. Я видел врачей в белых халатах, видел пожарных. Они разрезали мою рубашку и проверяли дыхание и пульс. Дикая боль стеснила грудь.

БАХ!

Что за черт!

Ага.

135

Все кончено.

Я умираю.

Они яростно трудились над моим телом. Меня снова пронзила резкая боль.

БАХ!

Вдруг я вышел из тела. Я был где-то внизу, смотрел сквозь землю и пол. В третий раз моя грудь резко дернулась от странной, пронзительной боли.

БАХ!

Я слышал голоса.

— Нет, ничего, ничего. Все впустую.

— Попробуем снова.

— Чисто!

Пронзительные гудки, потом снова.

БАХ!

Мои глаза широко распахнулись.

— Погоди, погоди, погоди. Он очнулся. Он очнулся.

Мои уши наполнил вибрирующий шелестящий звук.

— Мы теряем его. Мы теряем его. Продолжай.

БАХ!

Боль была нестерпимой. Я снова открыл глаза. Я дышал через кислородную маску. Вокруг суетились люди. Меня положили на носилки и понесли в карету скорой помощи. Мимоходом я разглядел одного недоноска с вечеринки. Он ужасно перепугался.

Мать твою, я только что умер.

Мать твою, я только что умер.

Меня положили в машину, и мы погнали в больницу. Медсестра держала мою руку. Когда я снова начал терять сознание, она шлепнула меня по руке.

— Не уходи от нас. Не уходи.

Я смотрел на нее.

Она сказала: «Думай о хороших временах. Думай о счастливых временах. Думай о хорошем».

Я хотел говорить сквозь туман в голове и кислородную маску, но только слабо простонал.

— Я не понимаю, — сказала она.

Я указал на маску.

Она отвела ее в сторону, повторяя: «Думай о радостном. Думай о хорошем».

— Я не знал ни счастья, ни радости, — сказал я.

На глаза медсестры навернулись слезы. Я тоже практически плакал.

— Мне жаль, но ничего этого я не знал. Ничего.

Она снова надела на меня кислородную маску и взяла мою руку в свою. Меня привезли в больницу святого Иоанна в Санта-Монике, где доктора начали меня расспрашивать.

— Что вы вкололи?

— Героин.

— Сколько?

— Много.

— Это было умышленно? Умышленная передозировка?

Я был честен: «Да, это была умышленная передозировка».

Могу сказать, что медперсонал был не особо рад. Они занялись своими делами и предпочли меня проигнорировать. Мне ужасно хотелось пить, я просил стакан воды, но мне его не приносили.

Потом я спросил медбрата:

— Эй, парень, может быть, вы смените гнев на милость?

Он чуть не задохнулся от негодования.

Потом набрал воздух в легкие.

— Здесь лежат невинные люди, которые попали в автокатастрофу. Здесь находятся те, кто борется за свою жизнь. Чье-то сражение проиграно. И вдруг появляешься ты — человек, который растрачивает на наркотики свою никчемную жизнь.

Меня глубоко тронула его искренность. Я не мог подобрать слов для оправдания. Мне сделали укол наркана, я был в полном сознании и понимал, что этот парень прав. Мне хотелось заползти под кровать и спрятаться там от людей. Мне хотелось разнести больницу. Но, как это ни прискорбно, больше всего я хотел опять вмазаться. Медленно, но верно развивалась ломка. Врач назначил мне успокоительное, но они даже представить себе не могли, что мне предстояло пережить. Я был готов выдернуть капельницу и удрать в окно, пока врач будет на обходе.

— Вот что вас ждет в таком случае, — предостерег врач. — Мы сменяемся каждые сорок пять минут. Если вы сбежите — больница имеет законное право сообщить, что ваш побег был попыткой самоубийства. Вас признают психически невменяемым, и вы сядете в тюрьму.

Статья 5150 означала, что меня посадят как преступника, который представляет опасность для себя или окружающих. К этому времени я уже несколько раз арестовывался и проводил ночь за решеткой, но от одной мысли, что героиновая ломка будет проходить в холодной камере, я расплакался.

— Не хочу садиться в эту гребаную тюрьму! Я против ареста!

— Выписывайтесь сейчас или потом, когда придет другая смена. Выбор за вами.

— Я выпишусь сейчас.

Последнее, что Я увидел в квартире, была стена в ванной и фраза, написанная на этой стене моей кровью:

ДА ПОМОЖЕТ МНЕ БОГ.

Думаю, они просто хотели от меня избавиться, что было вполне объяснимо. Медсестры отсоединили меня от капельницы и мониторов. Мне выдали джинсы и пачку наличных. Ни носков, ни ботинок, ни рубашки — врачи скорой помощи разрезали их, когда заводили сердце. Наверное, Дженнифер догадается принести мне какую-нибудь одежду?

Я спросил врача: «А где все?»

— О ком вы говорите?

— Мои друзья. Они скоро будут?

— Какие друзья?

Я смутился. Я не сомневался, что Манни позвонил Дженнифер, Стиву и всем остальным и рассказал им, что произошло. Все они напуганы до смерти, ждут не дождутся, когда им разрешат прийти и убедиться, что со мной все хорошо.

— Мои друзья, — повторил я. — Кто-нибудь пришел?

Врач ответил: «Вас никто не ждет».

Я отмахнулся от неприятных мыслей. Хорошо зная своих приятелей, я был уверен, что все они торчат, а в больницу не заходят, потому что боятся, что их заметут. Наверняка они ждут меня на парковке. Я поплелся на улицу, корчась и потея от ломки. Минут пять я искал своих приятелей, пока не убедился, что их нигде нет.

Ни друзей, ни Дженнифер, никого. Всем пофиг. Какая разница: жив я или мертв? Я взял такси до Санта-Моники, до зубов вооружился наркотиками и снял номер в гостинице. Надо бы довершить начатое.

Но сначала я позвонил всем и оставил язвительные сообщения. Дженнифер, Стиву и всем остальным.

— Как вы посмели! Мать вашу! Ненавижу вас всей душой!

У Дженнифер и ее сестры был автоматический определитель номера. Они узнали адрес гостиницы. Дженнифер пыталась вступить со мной в переговоры, но я вышвырнул ее из комнаты. Она изменила мне со Стивом, и я не хотел ее видеть. Сейчас я понимаю, что мое поведение было до ужаса лицемерным, но тогда у меня обрывалось сердце. Потом пришли Стив и Манни.

Я заорал на Стива: «Как ты мог так со мной поступить?»

Он был озадачен.

— Как поступить? О чем ты?

— Ты ушел с моей девушкой. Ты...

— Чувак, тебя искали наверху, а ты заперся в гребаной ванной. Я отвез ее домой. Вот и все. Между нами ничего не было.

Люди много говорят о программе «12 шагов» для конченых наркоманов. Я определенно был конченым. Но я всегда был верен своим принципам и всегда был максималистом, и поэтому, достигнув дна, я взял лопату и принялся рыть вглубь. И рыл еще четыре года.

***

То ли из-за моей практически состоявшейся попытки самоубийства, то ли из-за смерти бабушки Дженнифер, которая профинансировала наш героиновый марафон, — Дженнифер очень изменилась. Она все чаще говорила о наркологических клиниках и даже собиралась ехать лечиться в Европу. Она умоляла меня, чтобы я поехал с ней. Я же выдвигал дурацкие доводы против поездки — моя музыка, мои друзья и так далее...

Когда она уехала, на банковском счете лежали тридцать семь тысяч долларов. Через три недели к ее приезду оставалось только одиннадцать тысяч. За время ее отсутствия я умудрился влить себе в вену героина больше чем на двадцать тысяч. К тому времени я весил пятьдесят килограммов. У меня был стафилококк, стригущий лишай и чесотка. Эти инфекции я подцепил, затариваясь ширевом на Скид-Роу.

Дженнифер постучалась, вошла в квартиру и, практически не глядя по сторонам, спросила: «А мне?»

Я приготовил ей спидбол, и наш наркомарафон продолжился. Когда деньги кончились, мы заложили фамильные бабушкины драгоценности. Последним мы продали изумительное бриллиантовое ожерелье в шесть карат. Мы выручили семь тысяч долларов и погнали в даунтаун. Дома наркотики мы никогда не хранили. Мы ехали по одной полосе и ширялись, ширялись, ширялись... Мне казалось, что по мне ползают жучки, я все время смотрелся в зеркало заднего вида, надеясь их обнаружить и согнать.

У джанки **не бывает** Рождества.

По дороге домой мы яростно дрались. Я орал на нее, потому что она не хотела поменяться со мной местами и сесть за руль. У меня начинался психоз, — я говорил сам с собой и галлюцинировал. Но в краткие минуты просветления я понимал, что машину мне вести нельзя. Дженнифер отказывалась сесть за руль. Под кайфом я был сумасшедшим и припадочным идиотом, она же замыкалась в себе, становилась апатичной и подавленной. Я ехал на приличной скорости, мне хотелось доказать свою правоту и немного припугнуть ее. Когда я решил нюхнуть для бодрости, стрелка спидометра показывала около ста двадцати. В этом не было ничего удивительного, я давненько разнюхивался кокаином и вел машину одновременно. Я наловчился крутить руль коленями, пока управлялся со шприцем и трубочкой. Я занюхал «дорожку», но очень быстро понял, что хватил лишнего. Поля зрения смазались и поплыли, а если торчок нюхает кокаин, то этот симптом не сулит ему ничего хорошего.

Приход не заставил себя ждать. У многих, кто попадает в аварию, события разворачиваются как в замедленной съемке. Но эта авария была скоротечной, неожиданной и жестокой. Я снес пять почтовых ящиков, врезался в припаркованную машину, пробил забор, мой автомобиль несколько раз перевернулся, и его полет прервался только на лужайке перед домом. И надо же было такому случиться, что хозяин этого дома был председателем Общества анонимных наркоманов и проводил собрания по вторникам вечером в Малибу...

Колеса крутились в воздухе, крышка капота распахнулась, моторный отсек запылал. Хозяин метнулся в дом, схватил огнетушитель и быстро сбил пламя. Потом он подошел к двери, чтобы проверить, жив ли я, и помог мне выбраться. Но я не хотел вылезать. Я орал на него и просил оставить меня в покое.

«Вы в порядке?» — спросил он.

— Ищу ширево. Растерял по дороге.

Это надо же было так вмазаться, чтобы сказать такое! Приход это был или идиотизм? Полагаю, что и то и другое. Так как этот человек был председателем Общества анонимных наркоманов, он сразу сообразил, что под «ширевом» я имел в виду пакетики с героином и кокаином.

Через несколько минут на улицу выскочили все соседи. Было без двадцати пять утра, и я слышал рев сирен. Почему я помнил, что было без двадцати пять утра? Потому что мой спаситель пошел в дом, вернулся оттуда с бейсбольной битой и заорал: «Ты — гребаный кусок говна! Случись это на двадцать минут позже, когда моя жена едет на работу, ты убил бы ее!»

Вместе с Дженнифер мы выбрались из машины и сели на обочине дороги. Скорая и полиция приехали с интервалом в минуту. Хозяин кричал полицейскому: «Этот гребаный кусок говна — героинщик, и даже сейчас он под наркотой. Арестовать его!»

Он повторял эту фразу и тыкал пальцем в мою сторону. Один из полицейских силой оттащил его от меня, и когда он выдохся, его спросили: «Откуда вам известно, что он — героинщик?»

Тот ответил: «Я — председатель Общества анонимных наркоманов, мы собираемся во вторник по вечерам, и я точно знаю, что это за кусок говна. Это джанки».

На что полицейский ответил (до сих пор считаю это чудом):

— Я-то думал, что вы соблюдаете анонимность.

Я был потрясен. Дженнифер тоже. Да и хозяин *определенно* тоже. Этот легавый приблизился ко мне и спросил прямо: «У вас наркотическое опьянение?»

— Да, начальник, — гаркнул я.

— Что принимали?

— Наркотики. Героин, кокаин... Не помню, что еще. Может быть, колеса?

Похоже, что полицейский был озадачен моей искренностью.

— У вас есть с собой какие-либо наркотики?

И снова я все выложил без утайки: «У меня в карманах героин, кокаин и несколько игл».

Теперь он был не просто озадачен, он был ошарашен, — ведь я признался во всем добровольно.

— Погоди, — сказал полицейский.

Он подошел к хозяину и спросил, не пострадал ли кто. Тот махнул рукой в нашу сторону и ответил: «Нет, только эти двое».

Затем он вернулся к другим полицейским, и они начали совещаться. Слов нельзя было разобрать. Через несколько минут тот же полицейский подошел ко мне и спросил:

— Вы серьезно ранены?

— Да нет, пара пустяковых царапин, — сказал я. Я врал.

— Ладно. Когда врачи спросят, как себя чувствуешь, можешь отказаться от медицинской помощи, и я вызову тебе такси.

Сначала я подумал, что вижу сон. Этот парень отпускает меня на волю?

— Секундочку. Я могу уехать?

— Да, — ответил он. — Ты можешь отказаться от медицинской помощи. Такси приедет быстро. Садись и проваливай отсюда, и чем раньше, тем лучше.

С этими словами он положил руку на мое плечо, немигающим взглядом посмотрел мне в глаза и сказал: «Вот так вот. Это момент истины. За помощью обратишься завтра. Я отпускаю тебя по ряду причин, — воспользуйся этим шансом и держи себя в руках».

Мы забаррикадировались в квартире. Воду нам отключили, и мы были уверены, что скоро за нами придут. И как в воду глядели. За нами пришли через несколько дней. Выломали дверь. Когда я проснулся, надо мной стоял отец Дженнифер, который сказал:

— Ты умрешь, если тебе не помогут.

Он вытолкал нас взашей и повез в клинику. В рехаб «Спенсер», что в округе Оранж. Последнее, что я увидел в квартире, была стена в ванной и фраза, написанная на этой стене моей кровью:

ДА ПОМОЖЕТ МНЕ БОГ.

ГЛАВА ПЯТАЯ

Я лежал в рехабе и даже не сбежал, чтобы раздобыть наркотики, как в тот раз, когда у меня был наручный браслет. Я находился в палате. Все было как положено. Услыхав, сколько героина я двигаю по вене, врачи озабоченно качали головами. Не проходило дня без пяти граммов героина и пяти-семи граммов кокаина. Мне выдали целый арсенал таблеток, которые сглаживают ломку. Впервые я ощутил хоть какой-то прилив оптимизма. Я знал, что это лучший — а может быть, единственный шанс, который поможет мне и Дженнифер прийти в чувство.

Собираясь выводить дрянь из нашего организма, врачи отобрали у нас мобильные телефоны и разрешили общаться только с остальными пациентами, которые курили на улице. Героинщики узнают друг друга издалека. Если среди тысячи человек найдется хотя бы один джанки, то в считаные минуты ваши глаза встретятся и между вами, как между вампирами, установится негласное молчаливое взаимопонимание. Нужно быть человеком особого сорта, чтобы смело прыгнуть вниз головой в эту кроличью нору. Нужно обладать безграничной выносливостью, смекалкой, бесстрашием, безрассудством и высокомерием.

Нужно быть **человеком особого** сорта, чтобы **смело прыгнуть вниз головой в** эту кроличью **нору.**

Так что неудивительно, что мы быстренько разыскали других героинщиков, познакомились с ними и принялись обсуждать свою любимую тему. Мы курили как гребаные битники, прикуривая одну сигарету от другой. Из-за адреналина и возбуждения, от странного самолюбования, которым мы занимались, находясь среди себе подобных, сердце билось чаще. Мы обсуждали дорожки от уколов, абсцессы, шрамы и кровоподтеки. Я быстро освоился в новой обстановке и понял, что очень немногие сбегают за наркотиками, так как обратно уже не берут.

«К черту, — подумал я. *— Если взяли этих, меня возьмут наверняка».*

Один из этих джанки был тощим как скелет. Мерзкий тип. Он постоянно курил и жаловался на жизнь. Питер озвучивал мои мысли, и я понял, что ему хочется того же, чего и мне. Я отвел его к стеночке и сказал: «Приятель, нужно вмазаться. Нужен кайф».

Он не раздумывал.

— Бежим. Бежим сегодня вечером.

К такому повороту событий я был не готов.

— Сегодня вечером? Но как?

— У меня есть машина.

— Какая еще машина в рехабе?

— Я остановился через улицу в «Белладжио».

«Белладжио» был райским уголком наркоцентра «Спенсер», он располагался на берегу океана. Палаты класса люкс, которые стоили в два раза дороже обычных. Я лежал в корпусе, который мы называли собачьей конурой. Там была длинная и узкая мощеная аллея, по которой прогуливались курильщики, — эти часы досуга мы называли выгуливанием собак.

— Я могу удрать в любое время, — сказал он. — Вмажемся, а потом вернемся. Как два пальца об асфальт.

— Серьезно? А как же пропускной режим?

— Встречаемся на улице сегодня вечером.

Ему-то легко было говорить. Он лечится в «Белладжио» — может приходить и уходить в любое время. Я лежал на втором этаже главного корпуса. На ночь двери запирались. После того как тушили свет, все разбредались по палатам. Убедившись, что в коридоре никого нет, я выбил окно. Крыша соседнего корпуса располагалась на уровне моего окна, и скат тянулся вниз. Подо мной была та самая мощеная аллея. Если получится ее перепрыгнуть, я приземлюсь на крыше. В темноте я не мог точно оценить расстояние. Не спорю, это был глупый и опасный шаг, но на другом конце этого прыжка меня ждал героин. И я прыгнул.

И не допрыгнул. Я еле-еле успел ухватиться пальцами за край крыши. Я знал, что если сорвусь, то сломаю ногу, руку, а может быть, и шею. Чувство опасности кружило голову. И я все-таки сумел выбраться наверх. Затем я кубарем скатился вниз по крыше и упал на землю, пролетев примерно два с половиной метра. Я бежал к машине, не чувствуя боли — только азарт. Я был в полном восторге. Мне казалось, что я только что сбежал из тюрьмы на волю. Я знал, что скоро мы оприходуемся и я буду парить в небе, как гребаный воздушный змей.

Полтора часа мы ехали в Северный Голливуд. Там у Питера была фабрика бижутерии.

Я спрашивал его раз двадцать: «У тебя есть чистые инструменты?»

— Да, конечно.

— И чистые струны?

Я хотел убедиться, что у него есть новые шприцы и иглы.

— Да, да, — говорил он.

По пути он позвонил своему барыге и велел ему ждать нас у фабрики. Мы приехали в час ночи и разжились героином и кокаином на тысячу двести долларов. Я не донес до туалета содержимое своего желудка. Что-то странное происходит в тот момент, когда тебе предстоит вмазка, — тебя выворачивает наизнанку. Торчки поймут, о чем я. Меня мучила жажда, и это поганое чувство возникало всегда, когда я знал, что у меня есть наркотики и скоро я вмажусь. Я вышел из ванной, мучимый голодом и страстным желанием вмазать.

— Где иглы? — рявкнул я на Питера.

Он показал на шкаф. Я подскочил к шкафу и начал рыться в ящичках. Практически все были доверху заполнены иглами, но все иглы были гнутые, ржавые, со следами запекшейся крови. Они валялись вперемешку с грязными шприцами.

— Вздумал шутки шутить? Десять раз я спрашивал тебя, есть ли чистые шприцы!

> Когда люди **торчат**
> **вместе** — особенно **на**
> **кокаине,** — они клянутся
> друг другу **в вечной** любви.

Питер увлеченно готовил спидбол и не реагировал.

Я схватил самые приличные шприцы и стал промывать их горячей водой. Оставшуюся ночь мы ставились героином. Я слышал голоса, мне мерещились тени человеческих фигур, я сидел скорчившись в луже крови... Питер протягивал мне запачканные кровью шприцы, которыми только что вмазался сам. Потом я и вовсе перестал промывать их водой. Да что толку? В какой-то момент я спросил Питера: «Ты чистый? В смысле, ты здоров?»

Он пронзил меня демоническим взглядом.

— А *ты*?!

— Нет, — ответил я, поскольку сомневался в своей чистоте. Уже не в первый раз я кололся одной иглой. К восходу солнца остатки здравого смысла окончательно уступили место паранойе и психозу. Всю дорогу обратно до рехаба мы спорили, кто возьмет вину на себя, если нас засекут.

Я чувствовал себя грязным и мерзким. Во рту стоял металлический привкус. Я согрешил.

У меня была отвратительная инфекция и гнойник во рту размером с виноградину. От солнца болели глаза. Сигареты жгли легкие. Грязь под ногтями представляла собой смесь блевотины, крови и героина. Трусы и майка были в кровоподтеках. Посмотреться в зеркало я не рискнул.

Когда мы въехали на территорию наркоцентра «Спенсер», один из медработников подхватил Питера и поволок его в «Белладжио». Меня отвели в главный корпус и учинили допрос. Сотрудники центра по очереди играли в плохих и хороших легавых. И все-таки мне разрешили остаться.

На подгибающихся ногах я вышел из медкабинета. Я плакал и клялся, что это в последний раз. В коридоре меня настигла медсестра и приперла к стенке. Она раздавала таблетки, и мы с ней подружились. Эта женщина всегда старалась скрасить мое тоскливое прозябание в лечебнице.

— Так ты кололся одной иглой с Питером или нет? — настойчиво спрашивала она.

Эта ее настойчивость заставила меня насторожиться.

— А что?

— Кололся одной иглой с Питером?

Я солгал:

— Нет, а что?

— А то, что у него СПИД и гепатит С.

— Какого черта? Откуда тебе это известно?

Она посмотрела на меня, как на полного идиота.

— Халил, я — *медсестра*. Раздаю таблетки.

— Извини, я забыл.

— Халил, вы пользовались одной иглой?

— Нет, — отрезал я.

Я пытался убедить в этом не ее, а себя. Мне не хотелось верить, что я кололся одной иглой с человеком, у которого был СПИД в терминальной стадии. Но, к сожалению, это было именно так. Эта мысль была нестерпимой. Она жгла мой мозг. Два дня я ворочался на больничной койке и не мог заснуть. Потом меня выписали. В соответствии с политикой медучреждения, пациентов лечили первые девять дней, а потом три недели занимали выжидательную позицию, пока пациент не переломается сам.

— Мне нездоровится, — сказал я врачу.

— Справитесь сами.

Я заорал: «Мать вашу!»

И вышел — из его кабинета, из этой гребаной клиники.

Я был в ужасном состоянии. Ломка не отпускала, к тому же я все время думал о том, что кололся с Питером одной иглой. Я разыскал Дженнифер и сообщил ей, что хочу наложить на себя руки и обещаю прийти за ней с того света. Ведь мы хотели всегда быть вместе. В дверях клиники я столкнулся еще с одним пациентом — сказочно богатым дантистом откуда-то из Вашингтона. Он признался мне, что хочет застрелиться, но еще не готов спустить курок.

Он протянул мне ключи от своей машины, припаркованной за две улицы отсюда, и свой бумажник. У всех карточек был одинаковый ПИН, и он продиктовал мне его. Этот дантист ужасно хотел вмазаться. Он просил меня снять деньги с карточек, раздобыть ширево и привезти. Он хотел вмазаться в последний раз, а потом уж решить — жить дальше или умереть?

— Не вопрос, — сказал я — Вернусь вечером. Не беспокойся, друг. Куплю тебе ширева на все бабки и привезу. Влезу на соседнюю крышу и запульну это дерьмо тебе в окно. Жди меня в час ночи.

Я пропал на четыре дня. Я поступил как добросовестный торчок: разжился пачкой игл, крэком, героином и кокаином, снял номер в гостинице, запер двери и поднял паруса. Я набирал шприц, вел поршень вниз и проваливался в сладостное небытие.

На четвертый день я протрезвился и вспомнил, что дантист ждет меня. Он звонил мне на мобильный после моей выписки из рехаба. Я взял телефон и набрал номер наркологического центра «Спенсер». Я не стал звонить дантисту. Я хотел сказать Дженнифер, что я еще жив. В регистратуре сняли трубку, я спросил Дженнифер.

— Ее здесь нет, — ответил женский голос.

— Что вы хотите этим сказать?

— Ее выписали.

— Но это невозможно. Ее не могли выписать. Пожалуйста, позовите Дженнифер.

— Ее здесь нет, — повторила она.

Я сказал: «Ладно, я знаю, что вам велели так говорить, но, пожалуйста, разыщите ее. Мне очень нужно с ней поговорить».

— Не кладите трубку.

Она положила трубку на стол, а я принялся размышлять. Дженнифер не могла уйти просто так. Она никогда не бросит меня. Никогда.

Трубку на другом конце провода взяла наша общая знакомая.

— Привет, Халил. Да, Дженнифер здесь нет. Пришла мама с ребятами и забрала ее.

Семья Дженнифер наняла «Чистильщика» Уоррена Бойда. Вместе со своей бригадой они накачали ее лекарствами, подхватили и поместили под неусыпное наблюдение, чтобы она не сбежала ко мне. Я швырнул телефон в стену и вмазался опять. У меня начались припадки от этого кокаина. Потом я поставился героином и вырубился. Я снова пытался покончить с собой, но продолжал жить.

Не знаю, сколько кругов ада я прошел. Я остановился только тогда, когда забарабанили в дверь. Это была консьержка.

— Вы живете здесь три дня, — орала она. — Выметайтесь. Нам нужна свободная комната.

Я вернулся обратно в Санта-Монику, взял все, что мне нужно, и поехал прямо в рехаб «Спенсер». Всю дорогу я рулил коленями, чтобы удобнее было вмазываться. Я хотел понять, что за фигня творится с Дженнифер.

Когда я подъехал к центру, там меня поджидал разъяренный дантист. Его интересовал только один вопрос:

— У тебя есть что-нибудь?

— У меня есть все.

— Поможешь мне вмазаться?

— Помогу.

Я приготовил спидбол и вколол ему в руку. Его плохое настроение как рукой сняло. Он предложил поехать и взять еще. А я, к своему удивлению, тут же забыл про Дженнифер. Мы вернулись обратно в Марина-Дель-Рей, сняли отель у аэропорта и приступили к делу. Мы закупили героина, крэка и кокаина на тысячи долларов и валялись в наркотическом бреду еще десять дней подряд.

Через десять дней он захныкал, что пора остановиться, иначе он умрет. Сердце не выдержит. Он звонил жене в Вашингтон, плакал, говорил, что скучает и хочет вернуться домой. Однажды, разговаривая с ней по телефону, он запустил в меня пачкой наличных. У него были проблемы с женой, но мне не хотелось лезть в его личную жизнь, — поэтому я поспешил

Я вспоминал **СВОЮ ЖИЗНЬ** как одну **большую ошибку, думал** о том, как ужасно себя вел, перечислял всех, с кем *плохо* обошелся...

убраться. И я отправился за наркотиками. Когда я вернулся, его не было. Он собрал все свои вещи и свалил.

Я не верил своим глазам. Я был разбит. Когда люди торчат вместе — особенно на кокаине, — они клянутся друг другу в вечной любви. Мы строили грандиозные планы — как разыщем другой рехаб и будем чистыми. Но когда наркоман трезвеет, дерьмо прет из его ушей. Все становится пофиг. Я опять был один. У меня не было ничего, кроме денег и наркотиков, которые он мне оставил.

Гостиница находилась возле Сенчури и Сепульведы, на границе с Инглвудом, и в три часа утра я вышел прогуляться под мост, где собирались бомжи и торчки. Я еще не очухался, поэтому размахивал перед ними стодолларовыми банкнотами и требовал, чтобы мне принесли еще крэка.

Я запустил в них пачку денег. Бумажки разлетелись, они подхватили их и бросились бежать. Конечно, никто не принес мне никакого крэка. Но разбежались не все. Ко мне подошла какая-то сволочь. Я вернулся с ним в отель за деньгами, а так как мой ключ сломался, я повесил дверную цепочку и снял защелку. Потом я взял деньги, снова вышел на улицу и на этот раз купил наркотики. Бомж свел меня с барыгой, и я разжился героином и крэком.

После этого я рысью понесся в отель. Едва войдя в комнату, я заподозрил неладное. В номере стояли две кровати, и я увидел, как вдоль стены двигаются тени, а в проеме между стеной и кроватью мелькнула чья-то грязная фланелевая рубаха. Я со спринтерской скоростью метнулся к ванной, но тут из-под кровати выпрыгнули два головореза и бросились ко мне. Я все-таки забежал в ванную и запер за собой дверь. Там я снял фарфоровую крышку бачка и встал у двери в полной темноте, готовясь огреть по башке первого, кто подойдет. Меня колотило от страха. Я давно не спал, был на марафоне несколько дней, так что это было не самое удачное время для драки.

Первая пуля пробила дырку в двери. Выстрел был оглушительным, и в ванную проник луч света. Затем выстрелили опять. Я заорал и ударил крышкой по двери.

— Мать вашу, я убью вас! Убью!

Я бил крышкой по двери, пока она не раскололась надвое и не порезала мне руку. От двери я метнулся к раковине и зачем-то повернул кран, как будто вода могла меня спасти. Я лежал в ванной, сверху на меня лилась холодная вода, я плакал, трясся, истекал кровью и ждал, что они выбьют дверь и прикончат меня. Я вспоминал свою жизнь как одну большую ошибку, думал о том, как ужасно себя вел, перечислял всех, с кем плохо обошелся... Я был уверен, что моя жизнь скоро закончится в ванной дешевого гостиничного номера в Инглвуде. Я зажмурился в ожидании выстрела в лоб и молился, чтобы моя смерть была мгновенной и безболезненной.

Они так и не появились. Я выключил воду. Вроде бы они ушли, но я пролежал еще минут двадцать, чтобы убедиться, что опасность миновала. Я вылез из ванной и осмотрел дырки от пуль. Это были маленькие отверстия. Наверное, целились из пистолета двадцать второго или двадцать пятого калибра. Кто-то стрелял в меня и пытался убить. К горлу подступила тошнота. Я попытался блевануть, но желудок был пуст. Потом я упал и отрубился там же, на полу.

Через несколько часов я проснулся. Я лежал в постели. Мой взгляд остановился на смутно знакомом чернокожем человеке с добрым лицом. У него была серая борода и короткие волосы с проседью. Он прикладывал компресс к моему лбу. Я попытался встать, но он крепко меня держал. Я был слабый и обезвоженный. Он подносил стакан с водой к моему лицу. Да откуда он вообще взялся? Эта загадка не дает мне покоя до сих пор. Вроде бы я его знал и он был похож на какого-то моего знакомого, но откуда он взялся там, в гостинице? Как он меня разыскал?

Я провалился в забытье. Когда я пришел в себя, чернокожий уже ушел. Компресс лежал на моей голове. Значит, это был не сон. Может, это был ангел?

***

Я сложил в рюкзак то немногое, что осталось после рехаба, — какие-то шмотки, наушники, зубную щетку... И съехал из гостиницы. Мне казалось, что за каждым углом прячутся убийцы. Я направился в другую

Происходящее вокруг сильно отличается от той лапши, которую нам вешают на уши телеканалы.

дешевую гостиницу в том же Инглвуде, опасливо озираясь по сторонам. У входа стояли две шлюхи, подпирая дверь.

«У вас есть героин?» — спросил я.

Они посмотрели на меня и захохотали как над придурком.

«Сколько?» — спросила одна.

Они могли предложить только кокс. Впрочем, я не спорил.

Очевидно, что моя недавняя встреча со смертью ничему меня не научила, потому что, расплачиваясь со шлюхой, я достал большую пачку наличных и вытянул стодолларовую бумажку. Она принесла мне порошок, я поднялся в свой номер и продолжил. Это все, что у меня осталось, — героин и крэк давно кончились. Тут в коридоре возле моей комнаты послышались голоса. Я сдернул матрас с кровати, прислонил его к двери и забаррикадировался шкафом.

Меня слышали. Они постучали в дверь. Я слышал приглушенные голоса и смех. У кокаиниста обостряется слух, и я ясно услышал, как женщина говорит: «Нет, у него точно есть деньги. Целая пачка. Я видела, я видела!»

Я сидел в темноте и занюхивал дорожку. Вдруг я забился в конвульсиях. Левая рука от кончиков пальцев до самого плеча похолодела и застыла, я ощутил нестерпимую боль и тяжесть в груди. А потом я увидел эту демоническую призрачную фигуру из ночных кошмаров моего детства. На этот раз она была не одна. Вся комната кишела ими. Они бегали по стенам, драли обои и прыгали на меня. Эти создания были воплощением тьмы, и им была нужна моя душа на веки вечные. Я метнулся в ванную, сдернул палку для занавесок и принялся отбиваться ею, как копьем. Между тем стук в дверь становился все сильнее и настойчивее.

В самый интересный момент я потерял сознание.

Я проснулся на следующий день на полу. Кто-то стучал в дверь. Я подошел к двери и встал с краю, так как боялся, что дверь сейчас прострелят.

— Кто там?

— Администратор. Вы должны были съехать два часа назад.

— Ой, извините. Собираю вещи. Спущусь через пять минут.

От меня несло потом. Я залез в душ. Вода стекала по моей спине и причиняла ужасную боль. Я не понимал, откуда эта боль. Это была не ломка. Это было что-то другое. Порезался фарфоровой крышкой бачка в предыдущей гостинице? Но откуда порезам взяться на спине?

Я расстелил на полу полотенце, встал возле зеркала и повернулся к нему спиной. Спина была покрыта следами от когтей. Я вспомнил прошлую ночь. Кто-то приходил за мной в номер и терзал мою плоть.

Не знаю, были ли это демоны, привидения или кто-то еще, но они приходили по мою душу и пытались разодрать меня на клочки.

Собрав остатки здравого смысла, я подумал: «*Старина, это совершенно невозможно. Это тебе не фильм ужасов. Такого не бывает. Ты поцарапался о пружины матраса*».

Иррациональная часть моего сознания утверждала иное. Пережитое было не менее реально, чем все остальное, что случалось в моей жизни. Это было не просто сражение духа. Теперь, благодаря своим опрометчивым поступкам и наплевательскому отношению к своей жизни, я впустил в нее зло.

Я отгонял от себя эти мысли, как назойливых мух. У меня не было времени препираться с собой. Я вызвал такси и поехал в ломбард, в котором мы вместе с Дженнифер заложили бабушкино ожерелье. Ломбард этот был неподалеку. Когда клиент закладывает вещь, особенно если это дорогие украшения, он предъявляет водительские права и оставляет отпечатки пальцев. Отпечатки были мои, так как Дженнифер боялась, что семья ее вычислит.

Так как ожерелье было заложено на мое имя, я сказал им, что не буду его выкупать и хочу получить оставшуюся часть денег. И вот у меня снова появились средства к существованию. Таксист повез меня обратно в даунтаун. К этому времени у меня уже начиналась серьезная ломка. Я донюхал оставшийся кокс на заднем сиденье, опасаясь героиновой ломки. С ней шутки плохи.

В конечном счете я разжился мазью и поправился. Как обычно, я перебрал, и мне пришлось прилечь. Я добрел до соседней аллеи и повалился на землю. Земля, на которой я лежал, воняла мусором и блевотиной.

На расстоянии вытянутой руки красовалась куча человеческих испражнений. И тут меня накрыло. Как будто лопатой дали по башке. Все было кончено. Не было дороги назад.

Я кололся одной иглой с ВИЧ-инфицированным. Мне не к кому было обратиться, никто не мог мне помочь. Моя мать жила за чертой бедности, я уже высосал из нее все, что можно. Она посылала мне деньги и занимала тысячи и тысячи долларов по кредитной карточке.

Следующие полтора года превратились в бесконечную череду передозов, попрошайничества на заправках, различных передряг и больниц. Я и раньше был бездомным — спал в отелях и машинах, ночевал у друзей. Но теперь мой уровень жизни упал ниже некуда. Я докуривал найденные в урнах бычки и срал в парках, подтираясь рукой. Все это было в порядке вещей.

Я всегда был в движении. Невозможно остановиться, когда опускаешься на дно. Я не говорю о наркотиках. Это данность. Я имею в виду перебежки с места на место. Эта обреченность, которая нависает дамокловым мечом, живые напоминания о ней, поджидающие тебя за каждым углом: барыги, которым ты должен денег, головорезы, на чьей территории ты торгуешь. Не знаешь, кто тебя убьет — уличная шпана, профессиональные карманники, торчки и джанки, инфицированные ВИЧ, потерявшие всякую надежду и готовые прикончить тебя за пятидолларовую вмазку... Омерзительные улочки воняют мочой и дерьмом. Они завалены сломанными стеклянными трубочками, грязными иглами, они испачканы кровью и пороком. Притоны и ночлежки унылы при свете дня, но вы не представляете, как преображается Скид-Роу ночью. Драки, убийства — люди умирают здесь каждый день, но об этом вы никогда не услышите, так как эти люди никому не нужны, ведь иначе они не опустились бы на самое дно.

Здесь полно жертв проигранной войны с наркотиками, психически больных (многие из них ветераны), которые должны лечиться в больнице, но не могут оплатить лечение, беспризорников и/или жертв насилия и домогательств. Головокружительный вихрь безумия и зависимости, отчаяние, проституция, убийства, насилие, преступность и порок — все это здесь, на расстоянии двух кварталов от полицейского участка. И никто ни на что не обращает внимания, всем все равно.

Самые обычные с виду парни насилуют бомжа перед грязным сбродом, при этом они громко гогочут, желая показать окружающим свое превосходство и власть. Происходящее вокруг сильно отличается от той лапши, которую нам вешают на уши телеканалы. Оно отличается от бесчувственного насилия, которое показывают в кино. Это насилие возникает внезапно и стремительно, от него перехватывает дух. Здесь кровь темнее и недостатка в ней нет. От этих первобытных гортанных звуков насилия тебе не просто нечем дышать, — ты немеешь на долгие часы, как будто все твое тело обколото новокаином.

Ты не можешь поверить своим глазам, поэтому твой мозг прячет увиденное вглубь, в потаенные уголки твоего подсознания, — так он хочет тебя защитить. К сожалению, практически всегда все рано или поздно вырывается наружу, проявляясь в виде панических атак или ночных кошмаров.

Иногда я разыскивал старых друзей или знакомых из Малибу, и они жалели меня. Они приезжали

Невозможно остановиться, **когда опускаешься** на дно.

из даунтауна, давали деньги и, конечно же, просили у меня наркотики, и я выполнял их просьбу.

Видя, в каком плачевном положении я оказался, они снимали мне номер, предлагали помыться под душем, начать жизнь заново, но просили больше никогда не звонить. Я думаю, что они надеялись увидеть старину Халила, а не изможденного вонючего торчка, весом в пятьдесят килограммов, покрытого язвами и струпьями. Увиденное приводило их в чувство, но ненадолго. В итоге все они ушли из жизни один за другим.

ГЛАВА ШЕСТАЯ

оследним, кто пытался мне помочь, была моя старая соседка Дана. Она жила в соседней квартире, пока мы не отбыли в рехаб. Она предложила мне приехать в Малибу, чтобы я мог помыться и переодеться в чистое белье.

Она открыла дверь и увидела меня...

— Как ты мог так опуститься? — ужаснулась Дана.

— Не знаю. Не знаю.

Я плакал, она тоже плакала. Я просил ее позвонить барыге и заказать героин на дом, что она и сделала. Потом мы торчали три дня подряд. Когда героин закончился, она одолжила мне машину, я поехал и взял еще. Я пропал на четыре-пять дней и когда в итоге вернулся, она набросилась на меня.

— Что с тобой? Почему ты так со мной поступаешь? Я верила в тебя!

Она вызвала полицию и заявила, что я угнал ее машину. Я требовал денег, чтобы убраться из Малибу, но она отказывалась мне их давать. Мы кричали, дрались, но потом она сдалась.

— Хорошо, я дам тебе немного гребаных денег, — сказала она. — Подожди.

И пошла в спальню. Я ждал ее на кухне, где у нее стоял бочонок с двадцатипятицентовыми монетами за стирку белья. Там было около двухсот долларов. И я пересыпал все монеты в сумку. Я редко воровал — мне было проще попрошайничать. Но я знал, что в моем нынешнем положении все двери передо мной были закрыты.

Дана вернулась с деньгами, и мы снова начали препираться. В конце концов она швырнула в меня деньги. Я взял их и ушел.

Я сел в автобус, который шел до даунтауна. Туда было два часа езды. К этому времени я не вмазывался уже восемь часов, и у меня снова началась ломка. Я раскачивался взад и вперед, плотно прижимая руки к животу. Меня бил озноб. Был вечер, и в автобусе ехали немолодые женщины, возвращаясь домой с работы. До сих пор я помню добрые и милые лица пассажирок. Они смотрели на меня с сочувствием.

Я слез с автобуса в Ла-Брея. Там были приличные наркопритоны. Я пошел в самый ближайший из них. Выходя оттуда, я был не просто под кайфом — я сходил с ума. Сердце разрывалось на части. Я изо всех сил сжимал зубы, — мне казалось, что они сейчас раскрошатся, как стеклянные. Вокруг меня вспыхивали огоньки. Я слышал жужжание вертолетов, звучали голоса. В ушах звенело, как звенят колокольчики у входа в паб. Мне казалось, что по рукам и по коже черепа ползают червяки, заползая в уши, глаза и рот, прогрызая ходы в мозг. Они приближались — эти гуманоиды и демоны. Они ловили меня.

Я спрятался в зарослях и прижался к земле. Я так плотно набил крэк в трубочку, что та не раскуривалась. И тут вдруг... БАХ! Гигантский ядерный гриб. Онемели рот, горло и легкие. Онемело все лицо. Я услышал громкий лязгающий звук — как будто экстренно тормозил поезд.

Когда опускалась НОЧЬ И лекарства были ИСТОЛЧЕНЫ в порошок, наступала сверхъестественная тишина — затишье перед бурей.

Они приближаются. Я знаю, они приближаются. Они хотят меня убить.

Я вскочил и хотел бежать, но ноги не слушались, перед глазами все расплывалось. Я упал и больно расшибся, ударившись о тротуар. Они приближались. Они хотели меня убить. Я вскочил на ноги, напрягся и, собрав последние силы, рванул оттуда со всех ног. На углу бульваров Вашингтон и Ла-Брея возле заправки «Шеврон» стояли две полицейские машины. Двери одной были открыты, в ней за рулем сидел полицейский и говорил по рации.

Я решил, что эти полицейские заодно с «ними» — с теми, что хотят меня убить. Но они не видели, что я у них за спиной. Я убедил себя, что, если сяду в их машину, они не смогут меня пристрелить. Я рванул изо всех сил, подбежал к патрульной машине и глухо шлепнулся на жесткое заднее сиденье. После этого я принялся слезно просить полицейских, чтобы те меня не убивали.

— Не стреляйте! Не стреляйте! Не стреляйте! — истошно вопил я.

Сказать, что они были напуганы, — ничего не сказать.

— КАКОГО ЧЕРТА ТЫ ТУТ ДЕЛАЕШЬ? ОТКУДА ТЫ ВЗЯЛСЯ? —заорал один из них.

— Прошу, не стреляйте! Прошу, не стреляйте!

— Что с тобой? — кричал он.

— Прошу, не стреляйте!

— Выходим из машины. Руки за голову!

Эти слова окатили меня ледяным душем, и я мигом протрезвел. Понимая, что я пребываю в наркотическом бреду и что у меня крэк-трубочка в заднем кармане джинсов, я похолодел. Осторожно, не совершая резких движений, я выбрался из машины и достал трубочку.

— Что ты делаешь? — спросил полицейский.

Если я разобью трубочку, они не смогут использовать ее как вещдок против меня. Я швырнул трубочку прямо на горячий асфальт. Она дважды подпрыгнула и приземлилась между нами целая и невредимая.

Полицейский уставился на нее, затем посмотрел на меня и покачал головой.

— Ты — безмозглый кретин. Что тебе мешало выбросить ее на улицу?

— А сейчас я могу ее выбросить? — спросил я.

— Нет. Руки за голову. Ты арестован.

С этими словами он подтолкнул меня к машине и обыскал, затем зачитал мне мои права и посадил обратно в патрульную машину. Проверяя мое водительское удостоверение, он спросил: «Что означает Халил?»

— Это арабское имя. У меня отец палестинец.

— У меня тоже папа араб, — сказал он. — Репутация нашего народа и так испорчена, а здесь еще появляешься ты и ведешь себя как придурок. Другой бы постеснялся.

— Не могли бы вы меня отпустить? Обещаю, я обращусь за помощью.

Он поколебался, но сначала решил пробить меня в базе данных. База выдала судебные распоряжения на мой арест. Их было много. Очевидно, я не являлся по вызовам в суд, — я понятия не имел, в какие дни были эти вызовы и почему меня вообще туда вызывали.

С этой ночи начался долгий и тяжелый процесс следственных мероприятий в лос-анджелесской окружной тюрьме. Я плакал. Меня сажали в техасскую тюрьму за марихуану, задерживали в полицейском участке Лост-Хиллс в Малибу, но на этот раз все было гораздо хуже. Я слышал истории про лос-анджелесскую тюрьму, но какие бы ужасные вещи мне ни рассказывали, они не шли ни в какое сравнение с тем, что ждало меня впереди.

***

Меня оформляли и водили по камерам. Было адски холодно, и я чувствовал, как ломка на мягких лапах медленно подкрадывается ко мне. Они раздели меня догола, вставляли трубку в задний проход, сняли отпечатки пальцев, сделали фото. Затем меня поместили в Стеклянный Дом. Это здание располагается напротив лос-анджелесской тюрьмы. Там я ждал пересылки. Внутри стоял отвратительный запах, — наверное, так пахнет разлагающаяся плоть. Здание было переполнено бомжами, гангстерами, убийцами, насильниками. Не было никакого разделения. Я провел там два дня. К этому времени ломка меня замучила. Началась нестерпимая тошнота. Я покрылся холодным потом и безостановочно трясся. Я пытался заснуть, но ничего не получалось.

В итоге, когда меня перевели в окружную тюрьму через улицу, у меня возникло странное ощущение дежа вю. Нас снова раздели догола и выдали униформу. Мне было ужасно холодно. Я трясся и потел одновременно. Нас водили из камеры в камеру, на нас все время кричали. Смесь запахов, источаемых телами сокамерников, превращалась в самое тошнотворное и смрадное зловоние, которое когда-либо чуял мой нос. Этот смрад был еще хуже, чем в Стеклянном Доме, — смесь порока, падения, дерьма, крови, мочи...

Всякий раз, когда нас переводили в другую камеру, мы должны были сесть на ледяной бетонный пол. Мы сидели, жались друг к другу, мои коленки утыкались в чью-то спину, а чьи-то еще коленки утыкались в мою. Мы были скотиной в загоне.

Когда мы переместились во вторую камеру, я расположился на полу, тесно прижал колени к груди и засунул руки в подмышки, пытаясь согреться. Мое внимание привлек один из зэков. Он пристально смотрел на меня. Вид у него был какой-то нездешний, — это был довольно симпатичный белый человек с большими и голубыми, как ледышки, глазами. Но стоило ему заговорить, как впечатление о нем резко испортилось. Его зубы, или то, что от них осталось, были в отвратительном состоянии — черные и гнилые.

— В первый раз? — поинтересовался он.

— Что? — спросил я, смущенный его вопросом.

Скрипучим голосом он повторил:

— В первый раз здесь?

— Первый раз... Что?

Он поднял голову и повысил голос:

— В первый раз сидишь в тюрьме, парень?

— Да, нет, я хочу сказать... Не знаю... вроде бы... А, здесь... Ага. Я имею в виду, что никогда не был в лос-анджелесской тюрьме до сих пор.

Он не обратил внимания на мое заикание. Он улыбнулся широкой, щербатой, сатанинской улыбкой и сказал:

— Добро пожаловать в систему, парень.

— То есть?

Его смех длился целую вечность. Он расхохотался до слез, потом повторил:

— Добро пожаловать в систему, парень. Как только сюда попадешь, обратно уже не выберешься.

— Нет, нет и еще раз нет, — запротестовал я. — Я просто перебрал. Я залез в машину с полицейскими. Нет, это больше никогда не повторится. Я не вернусь обратно.

Он снова загоготал, только на этот раз вместе с ним дружно гоготали и другие сокамерники. Я поежился. Его отвратительный скрипучий голос звенел в моей голове: «Добро пожаловать в систему, парень».

Противный запах усиливался, и меня подташнивало. Воняло гноем, смертью, СПИДом. Я гнил заживо. Мы гнили заживо. Все мы гнили заживо. Одна большая колония прокаженных, грешников, неудачников, отщепенцев, воров и убийц.

Вместе со мной сидели несколько блатных. Благодаря своему положению, они спали на свободных нарах. Они отбирали все рулоны туалетной бумаги и подкладывали себе под голову вместо подушек. Их шестерки следили, чтобы им не докучали другие сокамерники. Я был вынужден опять подтираться рукой. Это было уже слишком. Я срал и блевал.

Я медленно, но верно смирялся с мыслью, что моя жизнь будет такой еще очень и очень долго.

Я лежал на полу камеры, корчился, стонал, дрожал и трясся в конвульсиях. Всем было пофиг. Другие сокамерники хохотали и наступали на меня, проходя мимо к параше.

— Хорошо тебе от твоей наркоты, дятел?

Я больше не мог терпеть этого ужаса и сделал глупейшую ошибку. Я встал, подошел к одному из блатных и попросил у него туалетной бумаги. Он взвился от возмущения, а один из его молодых шестерок накинул на меня бельевую веревку, оттащил в сторону и заорал: «Что ты себе позволяешь, парень? Что ты себе позволяешь? Не гляди на него! Что ты себе позволяешь? Не гляди на меня!»

Я смотрел вбок. Он припер меня к стенке. Когда блатной улегся обратно на нары и пристроил голову на подушке из туалетной бумаги, этот мальчик, который держал меня под локотки, понизил голос: «Приятель, тебя вздуют. Не делай этого. Никогда. Убирайся отсюда».

Я смутился. Он резко сменил тон.

— Ага. Конечно, я должен убраться отсюда. Но как?

— Тише. Слушай меня. Ты должен сказать одному из охранников, что хочешь покончить с собой.

— Зачем?

— Делай, что говорят. Тебя исключат из терпил. Тебя вздуют. Но ты не будешь терпилой.

Меня бил колотун.

— Ладно. Ладно. Благодарю... Как тебя звать?

— Кристофер Рифер.

Я уверен, что вы ломаете голову, почему мне запомнилось это имя. Я сделал в точности так, как мне было сказано. Я сказал одному из тюремщиков, что собираюсь покончить с собой. Я бился в припадках, весь был покрыт блевотиной, дерьмом и мочой, и он мне поверил. В камеру зашли охранники, схватили меня, швырнули оземь, заковали в кандалы и поволокли в местную психушку.

Сначала там было не так плохо. Там была общая территория, как в Стеклянном Доме, но меньше зэков и достаточно мест, где все могли разместиться, прилечь и поспать. Вдоль стен тянулись зарешеченные камеры, они находились за крепкими стальными дверями и смотровыми окошечками из плексигласа. Эти камеры предназначались для буйных зэков, которые неоднократно пытались причинить вред себе и окружающим.

Там я познакомился с черным и белым. Кличка черного была Дракон, а белого — Птица. У Птицы поперек плеч было вытатуировано слово «ДЯТЕЛ». Он объяснил мне, что так кличут белых в тюрьме. Дракон и Птица устроили мне краткий ликбез про зону: метки и татуировки, тюремная иерархия и банды, тюремный этикет и выражения. Большую часть своей жизни они провели в тюрьмах или на воле в бандах.

Они объяснили мне, что теперь в тюремной иерархии мы принадлежим к числу психов, и это совсем не то, что терпилы. У терпил каждый сам за себя. Им хотелось знать, как меня угораздило попасть к ним, и я рассказал им про инцидент с туалетной бумагой.

— Он спал на нарах? — спросил Дракон.

— Да, — сказал я. — И что?

— И ты его разбудил?

— Да. И что?

— Мать твою за ногу. Ты — счастливчик, что тебя не прикончили там же. Они задушили бы тебя мокрым полотенцем или придумали бы что-то еще.

Я рассказал им о Кристофере Рифере.

Дракон покачал головой и сказал: «Этот чувак спас тебе жизнь».

Тут вмешался Птица.

— Все верно, парень. Ты ему обязан.

Так что благодарю тебя, Кристофер Рифер, если ты выбрался оттуда.

Когда опускалась ночь и лекарства были истолчены в порошок, наступала сверхъестественная тишина — затишье перед бурей. Только я умудрился задремать, как меня разбудил громкий барабанящий звук. Я оглянулся и в одной из камер увидел психа, который бился головой об окошко двери. Кровь брызгала повсюду. Другой псих заорал на него и начал бить *его* головой о дверь. А сумасшедший в третьей камере разбрасывал вокруг какую-то грязь и заляпал ей все окно. Я не понимал, что происходит.

Обернувшись назад, я увидел, что Дракон проснулся.

— Что происходит? — спросил я.

— А... Такое творится постоянно. Они разбивают себе головы, а потом пишут на стенах кровью. Все

В тюрьме я бессчетное число раз заключал пакты с Богом, что если выберусь, то никогда не возьму в *рот спиртного,* **и в те минуты я был совершенно искренен.**

камеры измазаны кровью. А этот бедняга — просто ужас. Он размазывает свое дерьмо по стенам, как будто рисует им.

— Нафига им это нужно?

— Какого черта ты говоришь: *нафига* им это нужно? — спросил он. — Это психушка, засранец. Дурдом. Ты здесь находишься вместе с психами, потому что сказал, что хочешь убить себя.

Итак, я перебрался в психиатрическое отделение лос-анджелесской тюрьмы. Это был новый круг ада. Дни тянулись ужасно медленно, и мне казалось, что психическое здоровье постепенно покидает меня. Психи кричали, бились головами и колотили в двери всю ночь, а я лежал без сна. У меня была ломка. Острая стадия ломки длится от трех до пяти дней, но проходят недели, а иногда месяцы, пока сон восстановится. Еда была до ужаса отвратительной — еще одна пытка. Я медленно, но верно смирялся с мыслью, что моя жизнь будет такой еще очень и очень долго. Я знал, что осужден на условный срок. Я смутно припоминал, что отбывал условный срок дважды, что это незаконно, но так вышло. Я был проклят. Я звонил всем, чьи номера помнил, но никто не брал трубку.

Знакомые все время спрашивают меня о передозировках, судорожных припадках, как я к этому отношусь, — но мне до этого дерьма нет никакого дела (если не считать случая, когда у меня остановилось сердце и я уже практически был мертв). Но этому дерьму есть дело до меня. Я находил удовольствие в разговорах, которые вел со своими новыми сокамерниками, чтобы убить время, но интуитивно я понимал, что никому нельзя доверять, что Дракон и Птица могут быть опасны, очень даже опасны.

Тюремщики давали мне немного робаксина, так как он снимает спазмы и мышечную боль. Кое-кто из других сокамерников принимал веллбутрин, — они измельчали его и нюхали. Я тоже следовал их примеру, и мне казалось, что это помогает, но кто знает, может, я был счастлив просто разнюхаться?

Через две с половиной недели, когда наконец-то наступил день суда, меня сковали по рукам и ногам и вместе с другим сокамерником погрузили в автобус. Автобус останавливался у всех судов, зэки входили и выходили, моя остановка была одной из последних. Вонь была такая, словно ни один из пассажиров долгое время не видел ни куска мыла, ни зубной щетки.

Меня выгрузили у суда в Малибу и представили публичному защитнику по моему процессу.

— Что мы будем делать? — спросил я.

Он не отрывал взгляд от бумаг.

— Что будем делать? *Я* еду домой. *Ты* едешь в тюрьму.

— О чем вы говорите?

— Ты на испытательном сроке, — сказал он. — Ты подписал бумагу, в которой говорилось, что ты ничего не нарушишь за этот испытательный срок, а если нарушишь — сядешь в тюрьму на полтора года. Знаешь что? Курение крэка и владение крэк-трубочкой — это нарушение. Так что ты сядешь в тюрьму. И сядешь в тюрьму штата.

Мать твою.

В последней надежде я позвонил маме из таксофона. Я плакал и умолял ее нанять мне адвоката, а когда мои мольбы не сработали, я орал и угрожал. «Жаль, — сказала она. — Не звони больше. Я ничего не могу сделать».

Меня конвоировали в здание суда на встречу с судьей. Это была судья Адамсон, она вела несколько моих дел. Она всегда была очень добра ко мне, у нас установилось взаимопонимание, и мне было стыдно, что она видит, в каком состоянии я нахожусь. Свесив голову, я ждал, когда она огласит приговор.

Она сказала: «У нас есть человек, который хочет дать показания в вашу защиту».

Я поднял глаза.

— Что?

— Вас ждет человек, который даст показания в вашу защиту.

Я обернулся. К скамейке шагнула женщина, которую я едва знал. Ее звали Пенни. Похоже, что один из моих панических телефонных звонков все-таки попал в цель. Пенни была джанки, я встречал ее один-два раза в жизни, я помню, как она уверяла, что песня «Penny Lane»[60] написана про нее. Она работала на Джерри в фонде «Телезис» — в амбулаторном центре детоксикации, где вместе с Дженнифер мы получали лекарства. Старый джанки Джерри возглавлял эту

---

[60] «Penny Lane» — песня Beatles. — Прим. перев.

амбулаторию. Человек с большим сердцем — он послал Пенни свидетелем в мою защиту. Может быть, ей было жаль меня. Может быть, это негласный кодекс джанки, которые ищут друг друга и находят людей, которые им близки. Она превосходно выступила на защите, хотя ни одно ее слово не было правдой.

— Мистер Рафати — образцовый пациент, — говорила она. — Он посещал собрания, он регулярно сдавал тест на наркотики, он принимал активное участие в делах нашей общины. К несчастью, он оступился, но мы абсолютно уверены, что он достоин еще одного шанса.

Судья задала еще несколько вопросов, и Пенни продолжала врать.

Потом судья подытожила: «Исходя из того, что вы мне здесь сейчас сказали, я считаю целесообразным, чтобы мистер Рафати был отпущен под ваше попечительство и снова принял участие в вашей программе. Вы готовы взять его обратно в свою программу?»

— Да, конечно, — сказала Пенни.

Я не верил своим ушам. Неужели меня освободят?

Тут мой герой-защитник на общественных началах встал со своего места и указал пальцем на мой яркий желтый комбинезон. Тюрьма выдавала такие всем психам.

— Мистер Рафати опасен для общества, — заявил он.

Судья пристально изучала меня несколько секунд. Я не дышал.

— Отправьте его на психиатрическое освидетельствование, — сказала она.

Я сел обратно в тот же автобус, но на этот раз у меня появилась надежда. Психиатрическое освидетельствование проводил психиатр лос-анджелесской тюрьмы, — это были три часа самых странных вопросов, которые мне только доводилось слышать. В итоге он пришел к выводу, что меня можно освободить.

Я был свободен.

***

Выбравшись из лос-анджелесской тюрьмы, я временно реабилитировался в обществе. Помимо того что тюрьма выбила из меня все дерьмо, я поправил физическую форму. Я набрал около девяти килограммов и снова стал похож на человека.

Я позвонил своему приятелю Дуэйну. Он не был бомжом, но определенно скитался по чужим кроватям. В тюрьме я бессчетное число раз заключал пакты с Богом, что если выберусь оттуда, то никогда не возьму в рот спиртного, не буду употреблять, и в те минуты я был совершенно искренен. Но все мои благочестивые намерения развеялись, как только мои глаза снова увидели дневной свет. Я наотрез отказывался от программы Анонимных алкоголиков — это программа для лузеров. Чтобы с чего-то начать, я периодически пил пиво, но не больше одной банки в день, чтобы уверить себя и окружающих в своих добрых намерениях, чтобы никто не мог сказать, что я — алкоголик.

Через несколько месяцев мы сидели в рыбном ресторане, я пил свое пиво. Дуэйн заказал себе кока-колу с бренди, но выпил только половину, потому что разговаривал с девушкой, и они собирались уходить. Мне было завидно и досадно, так как 1) никто не хотел идти со мной и 2) я не мог сам уйти домой — туда, где мы остановились. Я подхватил оставленную Дуэйном кока-колу с бренди и выпил залпом. Как только крепкий

> В о мне ПОДНЯЛОСЬ СТРАННОЕ чувство — ВОЗМОЖНО, ЭТО МОНСТРЫ и демоны, похитившие мою ДУШУ, жаждали заначки в *моем* *кармане.*

алкоголь пролился в мой желудок, мне стало тепло, и я почувствовал жажду. Жажду наркотиков и саморазрушения. Жажду забвения. Не знаю, откуда берется это дерьмо, но оно всегда случается. Тут краешком глаза я заметил местного барыгу Кристиана. Он торговал кокаином. Этого парня невозможно не заметить, потому что он везде таскается с портфелем, где у него лежат наркотики (опять же такое можно встретить только в Малибу...).

Я подошел к нему. Я не просил грамм, я *потребовал* грамм. Он просил деньги, а я ответил: «Я принесу тебе гребаные деньги позже. Просто дай мне грамм».

Я и раньше обстряпывал с ним делишки и никогда его не закладывал, так что, надо полагать, он подумал, что у меня водятся деньжата. Мы проследовали в туалет, и, как только он протянул мне руку с граммом, я быстро выхватил его и побежал. Я буквально *вылетел* *пулей* из ресторана и понесся через парковку вниз по хайвею Пасифик Коуст — к дому

179

Грега. Грег был пожилым торчком, который жил в квартирке на берегу. Там я частенько останавливался и курил крэк. У Грэга была парочка грязных секретов, в которые он посвятил меня в одну из тех долгих ночей, которые мы проводили вместе, когда все другие гости расходились. Первое: он тоже вмазывается, как и я, но не хочет, чтобы об этом кто-то знал. Его иглы лежат в старом радиоприемнике в ванной. Второе: у него гепатит С.

Запыхавшись, я добежал до дома Грэга. Дыхание перехватывало. Я забарабанил в ворота, хотя сам не знал, почему я так возбудился, — может, боялся, что Грэг не ответит? Одним прыжком я перемахнул через забор, удивившись невесть откуда взявшейся силе. Я побежал вверх по лестнице, потом к его двери и забарабанил снова. На этот раз я ждал двадцать секунд, потом закатал рукава и пролез в окно, чтобы открыть дверь изнутри. Вбежав в комнату, я даже не оглянулся. Я сразу пошел в ванную, потянулся к шкафчику, схватил этот старый радиоприемник с грязными, старыми, кривыми иглами и принялся вкалывать кокаин себе в руку.

Хотелось бы сказать, что мое схождение в ад было постепенным, но я немедленно вернулся в психотическое и параноидальное состояние, когда хочется только одного — забыться. Я не мог убежать от себя ни на одну минуту. Слишком велик был стыд, страх, чувство вины. Это было невыносимо. Я опять пропадал в ночлежках и притонах, все глубже погружаясь в бездну бездомного существования. Через несколько недель я пришел в себя в автобусе, который ехал в даунтаун. Автобус был пустой, не считая двух бедных, неприкаянных душ.

— Где все? — спросил я водителя.

Он смотрел в стекло заднего вида и молчал.

Когда я сошел в даунтауне, улицы были пусты.

Что за фигня здесь творится?

В душе нарастало жуткое, неприятное чувство. Это апокалипсис или что?

Вдруг я увидел знакомое лицо старой негритянки Ла Ванды. Она передвигалась на кресле-каталке и была такой же наркозависимой, как и я, но это была святая женщина. Несколько раз, когда у меня была ломка, она помогала мне и делилась тем немногим, что у нее оставалось.

— Ты в порядке, малыш? — спросила она.

— Нет, я болен. Я болен, Ла Ванда. Что за чертовщина вокруг? Мне нужно немного героина.

— Малыш, разве ты не знаешь, что сегодня здесь никого нет?

— Что ты хочешь сказать? Я не понимаю.

— Малыш, разве ты не знаешь?

— Что я не знаю? *Пожалуйста*, мне очень плохо.

— Малыш, подойди сюда, — сказала она и стиснула мою руку. Она взглянула на меня своими добрыми карими глазами и сжала мою руку еще крепче.

— Сегодня Рождество.

Я остолбенел. Я ловил ртом воздух. Мне привиделся хохочущий Манни: «У джанки не бывает Рождества».

Я рухнул на землю и расплакался. Я всхлипывал. Я встал на колени и наклонился над креслом Ла Ванды, а она оперлась о мое плечо. Она говорила мне, что если мы сможем добраться до Сан-Хулиана, то раздобудем немного мази, но я ее не слушал и утирал слезы.

Моя молитва становилась горячее и горячее, птицы щебетали громче и громче, и я почувствовал, что забрезжил свет.

Что за дерьмо творится с моей жизнью? Как такое могло произойти? Как? Если есть Бог на небесах, неужели он допустит, чтобы меня ждал такой бесславный конец?

Я покатил Ла Ванду на инвалидной коляске в Сан-Хулиан. На Скид-Роу. Мы ходили от палатки к палатке и просили людей поделиться пакетиком. Потом мы разыскали человека, у которого он был, и я поправился.

На следующий день я насобирал мелочь на автобус до центра соцзащиты на бульваре Пико. Шесть часов я провел в очереди, заполнял бумаги, но к концу рабочего дня у меня были двести двенадцать долларов продуктовыми талонами и карточками на жилье и проезд. Я сел в автобус до даунтауна, где обналичил свои талоны и быстро обменял деньги на наркотики. У меня еще остались неплохие навыки торгаша, так что я выменял приличное количество наркотиков практически оптом.

Но я был ненасытен. Я быстро задвинул по вене и выкурил все, что купил, и снова отправился попрошайничать. Когда я собирал достаточную сумму, то бежал и покупал еще. У меня не было желания насильничать и воровать, но я делал все возможное ради наркотиков и денег, на которые я мог их купить.

Поздней ночью я был где-то в Голливуде, когда у меня закончился крэк. Вокруг не оказалось никого, у кого я мог выпросить милостыню. Я пошел к одному барыге на Оранж-авеню и попросил у него крэк. Я знал, что это безумие, но иногда такой прием прокатывал. Им надоедало стоять на улицах всю ночь, и иногда можно было подойти, поговорить за жизнь, и они давали тебе немного оставшихся пакетиков. Этот парень не хотел говорить за жизнь. Он предложил мне пойти прогуляться по аллее. Он хотел, чтобы я сделал ему минет, но я отказался. Потом он спросил меня — можно ли поиграть с моими ногами?

— А ты дашь немного крэка? — спросил я.

Он протянул мне пакетик на двадцать долларов. Я не верил своим глазам. Я забил все содержимое в трубочку, глубоко затянулся, и мне примерещилось большое белое привидение. В ушах зазвенело. Сердце бешено заколотилось в груди. Он растирал мои ноги. Я выпросил у него еще один чек.

Он сказал: «Не так быстро», — и спустил трусы. Вынул член, протянул мне еще один двадцатидолларовый пакетик и принялся дрочить. Я курил крэк. Он дрочил и протягивал мне крэк, а я курил и курил беспрерывно.

Разумеется, когда я выезжал из Огайо и проехал всю Америку в поисках счастья и славы, я даже в мыслях себе представить не мог, что в четыре часа утра я буду сидеть в темных аллеях с бездомным барыгой-негром, а он будет дрочить на мои ноги свой член.

Моя мать осталась единственным человеком, кто еще отвечал на мои звонки. Когда у меня заканчивались продуктовые талоны или карточки на жилье или если у меня просто не хватало сил попрошайничать, я звонил ей и клянчил деньги. Она обычно внимала моим слезам и мольбам, а иначе я всегда грозился покончить с собой.

Последний разговор с матерью начался весьма заурядно. Я звонил ей из таксофона в Санта-Монике. В тот день у меня не было желания ни просить, ни умолять, поэтому я сразу взялся за шантаж: «Я убью себя». Моя бедная мама. Ей еле-еле хватало средств, чтобы прокормиться самой, а тут звонил я, орал на нее и просил выслать денег на героин. Я убедил себя, что это по ее вине я оказался в таком положении, что она обязана мне, так как ее не было рядом, когда я отчаянно нуждался в ней.

Я не говорил, для чего мне нужны деньги, но она знала. Она расплакалась. Прежде чем повесить трубку, она сказала: «Я вышлю тебе деньги в последний раз, но никогда больше, никогда больше не звони мне опять. Это в последний раз. Я не отвечу».

Я был слишком возбужден, чтобы реагировать на ее слова. Как только я получил деньги, я купил немного героина. Потом мне нужно было приобрести немного кокса, чтобы приготовить спидбол. Я позвонил знакомому барыге с Ямайки. Он встретил меня в аллее возле «Макдональдса» на Второй улице в Санта-Монике. Как только я сел в его машину, он сказал:

— Черт побери, малыш, ты воняешь.

— Извини.

— Нет, малыш, что случилось? — поинтересовался он. — Давно не менял одежду?

— Мне нужно совсем немного кокса, поэтому, будь добр, просто...

— Где ты остановился?

У меня не было жилья. Я спал где придется, иногда в дешевых гостиницах, но чаще всего на улицах или под мостом с торчками. Но я хотел вернуться обратно в Малибу. Там я знал девочек, семья которых снимала старый дом на холмах. Они были старые хиппи, я нравился им, но еще больше им нравилась музыка, которую играли я и Дуэйн. Их папа был англичанином, а мама выросла в Сан-Франциско в шестидесятые годы. У них было семь дочерей. На заднем дворе их дома была лачуга, где я иногда останавливался, прежде чем залечь на дно. Там не было ни воды, ни света, но я протягивал удлинитель из соседского дома и мылся в душе на улице. Дом был совершенно запущен, но в этой семье было столько любви, что эта запущенность не имела особого значения. Все дочери обожали меня, приносили еду и иногда даже готовили мне печенье. Там я чувствовал себя в безопасности.

Поэтому я сказал барыге:

— Я остановился в Малибу, на Вайдинг-Вэй.

— Я отвезу.

Он опустил стекла и повез меня из Санта-Моники в Малибу. Это тридцать пять километров. Я не понимал, что он делает. Почему он везет меня в Малибу? Сначала мне подумалось, что он хочет меня убить, но снова и снова со своим тяжелым ямайским акцентом он говорил мне, что я должен привести свою жизнь в порядок.

Мы приехали на Вайдинг-Вэй Вест и остановились на улице. Опасаясь за свою безопасность, я не хотел, чтобы он знал, где я остановился, и поэтому, прежде чем мы подошли к дому, я сказал: «Давай остановимся здесь».

— Уверен?

— Да. Место самое подходящее.

Я вытащил деньги, которые прислала мать, и уже собирался отдать ему сто долларов за товар. Он глазел на меня.

— Убери свои деньги, малыш, — сказал он. — И сделай мне одолжение. Тебе нужна помощь. Помойся, и пусть тебе помогут, малыш.

Его замечание немного кольнуло меня. Плохо, когда твой барыга просит тебя обратиться за помощью и не берет у тебя денег. Когда я выходил из машины, он крепко взял меня за шиворот и сказал: «И никогда мне больше не звони, малыш».

«Да пошел ты!» — думал я, уходя прочь. Но потом во мне поднялось странное чувство — возможно, это монстры и демоны, похитившие мою душу, жаждали заначки в моем кармане. Меня охватило такое чувство голода, какого я не испытывал никогда прежде. До моей безопасной лачуги было совсем недалеко, но я просто не мог ждать. Я остановился перед воротами их дома. В окнах горел свет.

Я вытащил большую ложку, зачерпнул кокс, слегка подогрел, набрал в один из моих больших внутримышечных шприцев на двадцать семь кубов и ввел в вену руки наполовину. Но я не понял вкуса. Я предупреждаю людей, которые никогда не вмазывались кокаином, особенно мексиканским, что жидкость, которую вы вливаете в свою вену, напоминает по вкусу загущенный керосин или бензин. Эта дрянь стекает по деснам, и ты можешь судить по себе, как жестко тебя накроет.

Я закрыл **дверь в** свою комнату, **преклонил колени возле** кровати, **сложил** руки и **стал молиться.**

Я не понял вкуса. Поэтому я повел поршень дальше вниз. Когда поршень остановился, заряд кокаина внезапно накрыл меня, как удар лопатой по башке. Но я был спокоен. Я быстренько припомнил, что у ямайцев всегда бывает очень чистый кокаин, который везут из Флориды по шоссе I-75. Его не очищают керосином или бензином, как мексиканский кокаин, поэтому у него нет ярко выраженного вкуса, когда ширяешься. Но он силен. *Чертовски* силен.

Когда все эти мысли мелькали в моей голове, я услышал звук сирен. Я запомнил только, что приобнял себя за грудь и с ужасом глянул вверх, где висели камеры видеонаблюдения, мигая красными лампочками под козырьком. Я пытался бежать, но мои ноги стали ватными. От них не было толку. Я ловил ртом воздух, но не мог вдохнуть. Пот струился градом по голове и лицу. Я снова попытался вдохнуть, но не мог. А сирены приближались.

И тут — *бамс!* — я вдохнул наполовину. Нога подвернулась, и я упал лицом вниз. Я отчаянно елозил руками и плечами. Но я ничего не видел. Я ослеп.

Бамс — еще один вдох наполовину. На этот раз я привстал. В груди была стреляющая боль. Все мое тело было холодным как лед. Я чувствовал, как близится припадок. Впрочем, собрав все свои силы, я прыгнул и покатился вниз по холму в лощину. Я слышал рев сирен и визг шин. Они катили вверх на Вайдинг-Вэй Вест.

Я сгреб на себя листья и веточки — все, что находилось на расстоянии вытянутой руки. И по-прежнему ничего не видел. Я похоронил себя под грязной прошлогодней гниющей листвой. Я похолодел, когда услышал, как полицейские машины резко тормозят и останавливаются.

Похоже, я пролежал там несколько часов — слепой и парализованный. Они двадцать раз проходили мимо меня. Несколько раз я чувствовал их тяжелые шаги, слышал, как листья и веточки скрипели у них под ногами. Ощущение было такое, что слон сел мне на грудь. По мне ползали насекомые — слизняки, муравьи, многоножки. Они ползали по рукам. По лицу. Заползали в уши. Заползали в нос. Я гнил так же, как листва и эти самые веточки. Я разлагался — я был мешком дерьма. Насекомые и земля принялись меня пожирать. С моего разрешения. Я не смел пошевелиться. Не имел такого права. Я гнил и разлагался в этой грязи, под этой гнилой листвой. Я был достоин такой участи. У меня не было другого выбора. Мне некуда было идти, некому было звонить, никому не было дела до моей жизни, никто не мог мне помочь. Я сжег за собой все мосты. Моя родная мать не брала трубку. Да что там, даже мой барыга не брал трубку. Всякий раз, когда я достигал дна, я брал лопату и рыл дальше. На этот раз рыть было некуда.

Я покорился судьбе и слился с грязью и гнилью. Все было кончено. Я был мертв.

На меня опустились тишина и покой. Мое дыхание выровнялось и пришло в норму. Я расслышал знакомый звук, который не слышал десятилетиями, — это было пение утренних птиц. Одна за другой, медленно, но верно, их красивые, мелодичные трели сливались в симфонию.

Я начал молиться, я просил Бога о прощении. Вместе с пением птиц в моей душе забрезжил луч надежды. Если я смогу снова видеть, если я смогу снова ходить, то я смогу измениться. Моя молитва становилась горячее и горячее, птицы щебетали громче и громче, и я почувствовал, что забрезжил свет.

«Боже, прошу Тебя, прошу и еще раз прошу. Я не хочу больше так поступать. Я *не могу* больше так поступать. Просто позволь мне снова видеть, снова ходить и, молю Тебя, избавь меня от тюрьмы. Я клянусь, что никогда не буду больше пить. Я завязываю. Молю Тебя, избавь меня от всего этого, верни мое зрение, позволь снова ходить, и я никогда не поступлю так снова».

На этот раз я говорил искренне. Я больше так не мог. Больше невозможно было влачить такое существование, — я не могу назвать это жизнью. Такому существованию я предпочел бы смерть в этой канаве.

***

Мое зрение вернулось ко мне, но медленно и неуверенно. Я попробовал пошевелить ногами. Они шевелились, но очень слабо. Я приподнялся и смахнул

Ощущение легкости, **знание, что** Бог есть, **что Он позаботится** обо **мне,** — это **было все, в чем** я *нуждался.*

с себя листву, грязь и жуков. Перед глазами все расплывалось, ноги были ватными. Но я все-таки дополз до своей лачуги.

Я проспал полтора дня. Проснувшись на следующий день, я вошел в дом к хозяевам и попросил телефон. К моему удивлению, семья никак особо не отреагировала на мой визит. В прошлый раз я оставил эту лачугу в плачевном состоянии, и, надо полагать, они не ждали меня снова.

Я позвонил хозяину фонда «Телезис». Джерри был владельцем прекрасного рехаба «Ранчо Малибу».

Я умолял его: «Вы позволите мне приехать в рехаб?»

— Ни в коем случае, — отрезал он. — Если ты выглядишь так же, как в последний раз, когда я тебя видел, я не смогу взять тебя в клинику.

Я кричал.

Я плакал.

— Нет, — сказал он. — Извини.

Дальше я попытался уговорить Пенни.

— Я могу остановиться у тебя? Я завязал. Я поклялся Богу, что завязал. Я завязал с дурью, честно. Я приеду, поживу у тебя месяц и найду работу.

— Нет, не получится.

Я подумал, что сейчас она повесит трубку, но потом я снова услышал ее голос.

— Я передам Бобу Форресту.

Боб Форрест был сотрудником благотворительной организации, так называемой Программы реабилитации музыкантов (ПРМ), или, в моем случае, Программы реабилитации неудавшихся музыкантов. Это была программа для всех исполнителей, которые не могли завязать самостоятельно.

Боб великодушно согласился, и я позвонил ему, чтобы спросить адрес.

— Да, конечно, подъезжай сюда, и мы о тебе позаботимся, дружище. Не беспокойся ни о чем.

Я плакал:

— У меня нет денег. У меня нет родственников.

— Самое главное, приезжай, — сказал он. — О тебе позаботятся.

Я помылся у хозяев, одолжил одежду у одной из старших девочек, взял с собой джинсы, треники, шлепанцы, пару старых концертных футболок и замечательную большую, теплую и удобную фуфайку. Ко времени моего отбытия в центр, я уже был в плоховатой форме. Начиналась ломка. Собеседование проводил знаменитый старый джазовый музыкант и завязавший наркоман Бадди Арнольд[61].

---

[61] Бадди Арнольд (1926—2003) — американский джазовый саксофонист.

Он заправлял в этом центре. Он возненавидел меня с первого взгляда — наверное, из-за моих обесцвеченных пергидролем волос или того, что от них осталось.

— Ни в коем случае, — тут же сказал он. — Мы ничего не сможем для тебя сделать. Ты не издавался.

Тут заговорил Боб: «Постой, Бадди, ему надо помочь. Ему надо помочь».

Четыре или пять раз подряд Бадди повторял мне, чтобы я убирался из его кабинета.

«Мне некуда идти, — говорил я, всхлипывая. — Пожалуйста, пожалуйста, помогите мне».

В итоге только для того, чтобы я заткнулся, он сказал: «Ладно, хорошо. Я помогу тебе, но знаю, что придется об этом пожалеть».

Боб повез меня в реабилитационный центр в Пасадене. Это было 15 июня 2003 года. Когда я поступил в отделение, мне дали несколько таблеток, и я проспал три дня подряд. Когда я проснулся, то был один в своей комнате. Я точно знал, что происходит, понимал, где я оказался. Слезы снова покатились по моему лицу. Я закрыл дверь в свою комнату, преклонил колени возле кровати, сложил руки и стал молиться.

— Кто бы Ты ни был, если Ты есть, избавь меня от этого ада!

Я никогда не забуду эти слова, пока жив. Я испытал душевный подъем. Тошнота и изнеможение никуда не делись, но в мою жизнь вошла легкость. Я просил Бога о помощи, и ответ Бога не заставил себя ждать. Захватывающее чувство.

— С тобой все будет в порядке.

Мне не явился горящий терновый куст, и ангелы не спустились с небес, чтобы утереть пот с моего лба. Да мне и не нужно было этого. Ощущение легкости,

192

знание, что Бог есть, что Он позаботится обо мне, — это было все, в чем я нуждался.

Потом, когда я покинул свою комнату, ко мне подошел психиатр, который разработал для меня комплексную медицинскую программу. Он назначил лексапро, веллбутрин, тразодон и сероквель. В короткие периоды воздержания от алкоголя и наркотиков я принимал все эти препараты и знал, что они эффективны.

— Мне все равно. Мне ничего не нужно.

— Разве? — спросил врач. — Ломка так скоро не кончится.

Они даже предлагали мне клонидин. Он помогает при повышенном артериальном давлении, и его рекомендовал мне доктор Вальдман, когда я заходил в рехаб «Исход» при первой серьезной ломке.

— Нет, — сказал я. — Мне не нужны лекарства. Мне не нужны антидепрессанты. Хочу завязать раз и навсегда.

18 июня 2003 года. Это день, когда я завязал с выпивкой и наркотиками. Следующие две с половиной недели были самыми тяжелыми в моей жизни. Я не спал. Изредка я задремывал минут на двадцать, и меня мучили ночные кошмары, сонный паралич и галлюцинации. Я весь был покрыт абсцессами. Моя кожа переливалась всеми оттенками зеленого и желтого цветов, — я не видел ни одного живого существа, которое бы так жутко выглядело. Ярко-желтая желчь выходила изо рта и заднего прохода несколько дней. Когда я пытался есть, меня тошнило. Кожа зудела, кости ныли. Я чувствовал себя столетним старцем, и казалось, что этому не будет конца. Это был сущий ад.

Но даже в таком состоянии я чувствовал себя в тысячу раз лучше, чем двумя неделями ранее. Я пил кофе чашками, курил сигареты пачками. Я рассказывал ужасные истории о своем пьянстве и зависимости, но никто не ахал и не раздражался. Мы смеялись. Да, мы *смеялись*. И я смеялся вместе со всеми. Чем мерзостнее, чем противнее были мои истории, тем громче мы смеялись. Это был смех до слез. Уже много лет я так не смеялся, и мне было хорошо.

ГЛАВА СЕДЬМАЯ

Когда срок моего тридцатидневного пребывания в реабилитационной клинике Пасадены близился к концу, пора было задуматься о том, куда ехать дальше. Я знал, что если вернусь обратно в Малибу, в эту лачугу, к моим старым друзьям, которые продолжали торчать, — я снова полечу вниз в бездну. Я никогда не думал, что окажусь в таком положении, — я не хотел покидать рехаб. Я не велся на программы Анонимных алкоголиков и Анонимных наркоманов, — для этого у меня было слишком бедное воображение. Но мне нравилось, что у меня есть крыша над головой, кровать, где я мог спать, и еда, которую можно есть. Больше всего мне нравилось, что впервые за долгое, *очень долгое* время я чувствовал себя в безопасности. Итак, у меня созрел план.

На следующий день, когда появился Боб Форрест, я изложил ему свою замечательную идею. Я просто останусь. Я очень хорошо подметал, скреб и мыл полы. Это была трудотерапия. Сначала я ее возненавидел, но очень скоро труд начал приносить мне облегчение. В этом что-то было. Оборачиваясь назад, я думаю, что моя душа немного очистилась, а Бог знал, как она смердела.

Очень и очень многие люди, которые были более сильными и стойкими, чем я, не справились с зависимостью.

Я спросил Боба: «Могу я остаться в реабилитационном центре Пасадены и работать дворником за еду и жилье?»

Он истерически захохотал.

— Нет, приятель. Я поговорю в ПРМ, чтобы ты жил в трезвости.

— Но как? В реабилитационном центре? — спросил я, даже не пытаясь скрыть отвращения. — Это для гребаных неудачников.

Он рассмеялся еще громче.

— Ладно, может быть, ты прав, и именно поэтому мы сегодня кое-куда поедем.

Вместе с Бобом мы проделали долгий путь. Он повез меня в «Старбакс» и купил мне большую порцию фрапуччино. На обратном пути я так возбудился от сахара и кофеина, что говорил безостановочно. Но Боб молчал. Мне было все равно, куда мы едем. Вдруг фургон резко затормозил, и Боб сказал: «Пошевеливайся, приятель. Вылезай. Покажу тебе твою трезвую жизнь».

Что за ерунду он несет? Мы стояли среди таинственных зеленых холмов. Я шел за Бобом и продолжал болтать, занятый только собой. В ландшафте было что-то жуткое, я не понимал, где нахожусь. Вдруг Боб остановился и указал пальцем на землю. «Вот, приятель, — сказал он звенящим старческим голосом. — Вот твоя трезвая жизнь».

Я посмотрел вниз и увидел надгробный камень и надпись на надгробии: «Гиллель Словак 1962—1988».

«Кто это?» — спросил я.

«Это мой лучший друг, он не хотел жить в трезвости. У него было все, что хочешь, — деньги, слава, музыкальная карьера, девочки, — и вот где он сейчас. На гребаном кладбище. И ты отправишься за ним, если не будешь жить в трезвости».

Мы пошли обратно к фургону. Никто из нас не произнес ни слова. В итоге я сказал: «Ладно. Буду жить в трезвости».

Боб молчал.

— Я отправлюсь в «Генезис», верно?

«Генезис» был райским местечком в Чевиот-Хиллс, где лечились лучшие музыканты.

— Нет, — сердито ответил Боб. — Ты не едешь в «Генезис». Ты отправишься туда, куда я сказал.

Я никогда не видел Боба таким сумасшедшим.

Впрочем, у Боба была клиника на примете. Она называлась «Новые горизонты». Управляющими и работниками там были черные. Клиника располагалась в долине Сан-Фернандо и принадлежала Тельме и Уиллу. Брату и сестре. Оба выросли на юге Лос-Анджелеса.

Я сблизился с Тельмой. Она напоминала мне Пифию из «*Матрицы*»[62]. Она завязала уже давно и излучала обаяние спокойной мудрой женщины. Она познакомила

---

[62] «Матрица» — фильм сестер Вачовски 1999 г.

197

меня с Уиллом. Разговаривая с ним, я не сводил глаз с этого странного шрама на его шее и гадал: откуда он мог взяться?

— Ты смотришь на мою шею, верно?

— Что? Нет, нет, нет. Я просто... ну да... смотрю... Он потер рукой шрам.

— В меня стреляли.

— В шею?

— Да.

Я не сдержался.

— Но почему?

— Ну, я стрелял в других бандитов, а они стреляли в меня.

Хотя я тоже пережил многое, но все-таки подумал: *«Какого черта? Как я здесь оказался?»*

Каждый день с утра до вечера мне хотелось вмазаться. Но я не вмазывался. Я все время потел, курил одну сигарету за другой и пил дрянной кофе. ПРМ выдавала нам сорок долларов в неделю на жизнь, и я проверял, хватит ли мне сигарет на неделю. Когда этот вопрос был решен, я начал тратить остальное на лапшу «Рамен» и большую коробку пасты с томатным соусом.

Так текла наша жизнь. Мы рассказывали друг другу скабрезные анекдоты и так коротали свой день. Не было ничего недозволенного, не было запретных тем. И опять чем похабнее была шутка, тем отчаяннее мы хохотали. Сначала высмеивали меня, потому что я был наполовину араб и наполовину поляк, потом высмеивали еврея, потом негра и так далее. Каждого поочередно.

И всякий раз, когда наступала сверхъестественная тишина, один из нас тихо бормотал: «К черту, приятель. Ужасно хочется вмазаться». А все остальные дружно покатывались со смеху, так как думали об одном

Алкоголики и наркоманы — люди с **травмированной психикой, а** выпивка и наркотики заглушают **их боль.**

и том же. Но никто не вмазывался. Боб отобрал самых запущенных пациентов, но наркотики были строго запрещены. Он собрал нас всех под одной крышей, и его программа работала. Мы были очень счастливы, что просто живы.

Когда я оставался один, я боролся с этим желанием. Главное — я был жив. Мало кто смог выжить в ситуации, в которой я оказался. Почему я смог? Определенно здесь не было речи ни о силе воли, ни о стойкости, потому что, вы уж мне поверьте, очень и очень многие люди, которые были более сильными и стойкими, чем я, не справились с зависимостью. Слишком многие люди, которые были умнее меня, добрее меня и просто лучше меня, уже умерли. И я не знаю почему. До сих пор не знаю. Иногда мне стыдно, я виню себя, но борюсь с этим чувством.

Нас заставляли дважды в день ходить на собрания. Я возненавидел их, но все равно ходил. В случае моего отказа меня вышвырнули бы, а я не хотел разочаровать Боба Форреста. Так что я ходил вместе с Франком Вайоленсом из программы реабилитации. Мы подшучивали над ним из-за его фамилии[63], потому что, прежде чем угодить в тюрьму и рехаб, он единственный раз в своей жизни подрался со своей подругой, и она добилась своего. Она изрезала ему лицо ключами от машины, избила его и оставила умирать в телефонной будке.

Я ходил на собрания, но не принимал в них участия. Я стоял на улице, курил и пытался знакомиться с девушками. Первое собрание, где я был, проводилось на Третьей улице и улице Гарднер. Не хочу врать — я зашел туда только по той причине, что увидел парня, который был фронтменом моей любимой группы, кроме того, там были очень симпатичные девушки. Хвала Богу, что я был трезв, но только мое эго и мои гормоны толкали меня на участие в программе «12 шагов».

Собрания оказывали на меня хорошее влияние. Чем больше я ходил, тем лучше себя чувствовал. В итоге я начал вслушиваться, вникать и собирать жемчужины мудрости, которые помогали мне жить. Я все еще хотел вмазаться и терпеть не мог спать в палате с тремя больными, которые храпели, пердели и рыгали всю ночь, но на улице было еще хуже.

Потом меня повезли проверяться на СПИД.

***

Я был трезв три месяца. Один из менеджеров Тельмы и Уилла был весь татуированный — татуировки выглядывали из-под его воротничка. Он бесил меня. В среду

---

63 «Вайоленс» означает «насилие». — Прим. перев.

мы ехали с ним вместе на программу «12 шагов», и он спросил: «Ты сдавал анализы?»

У меня перехватило дыхание, я нервно заерзал на сиденье. Я никогда не проверялся, хотя кололся одной иглой с наркоманом, у которого был СПИД.

— Да, — солгал я. — Да, конечно.

— Значит, ты чистый?

— Да, да. Абсолютно.

— И у тебя даже нет гепатита С?

— Нет.

Печальная правда была в том, что я выглядел как больной гепатитом С, СПИДом и Бог знает чем еще. Я был до ужаса тощ, обезвожен из-за сигарет и кофе, недоедал, так как питался только лапшой «Рамен» и спагетти под дешевым томатным соусом, и все мое лицо было покрыто странными пятнами. Люди часто интересовались, все ли со мной в порядке, даже тогда, когда я чувствовал себя хорошо.

Несколько километров мы проехали в молчании. Потом он спросил:

— Хочешь снова провериться?

Я возразил:

— Нет, нет. Не нужно.

— Ты когда проверялся в последний раз?

— Я сдавал анализы в рехабе.

Это была очередная ложь.

— Знаешь, ты должен был проверяться каждые полгода. У вируса есть инкубационный период.

Черт.

— Все верно, — сказал я. — Ладно, я проверюсь снова при первой же возможности.

Мы говорили, и он вырулил на стоянку. Это было не собрание.

— Что ты делаешь? — спросил я.

— Можешь сдать анализы здесь.

— А-а-а. Ладно. Но у меня нет денег на анализы.

— Это бесплатно.

Это был медцентр «Тарзана». Дважды в неделю, по средам и пятницам, приезжала медстанция, которая предлагала бесплатное тестирование. Опять же я был слишком горд, чтобы отказаться.

— Пошли, приятель, — сказал он. — Давай сделаем это.

Тут нахлынула волна паники. Мне хотелось дать деру, но я знал, что это ничего не изменит. В глубине души я понимал, что мое прошлое оставило во мне ужасный след. Перед сном в памяти проносились воспоминания о тех временах моей жизни, когда я умышленно вкалывал слишком большие дозы героина или кокаина, втайне надеясь, что моя смерть будет безболезненной.

Я поднялся в трейлер, медсестра набрала кровь в пробирки и задала мне несколько вопросов: не делился ли я иглами, не занимался ли анальным сексом и всякую такую ерунду. Она делала пометки в блокноте, а затем начала совершать странные манипуляции с моей кровью. Я сидел и готовился к худшему. Что у меня? СПИД или гепатит С? Или и то и другое?

Она сказала, что результаты будут через неделю.

Мать твою, через неделю! Да как буду я ждать целую неделю, ведь эта неопределенность будет мучить меня?! Следующие шесть дней я не ел. Я не мог спать. Я курил столько, что буквально высыпал из сигарет табак и ел его.

Утро среды пришло как незваный гость. Медстанция была закрыта до трех часов дня, и мысль о предстоящей поездке не давала мне покоя. Около половины второго я подумал, что еще одной минуты ожидания я не перенесу. Я бросился на кровать и попытался расслабиться. Я заснул.

Когда я проснулся, за окном было темно. Я выпрыгнул из постели и обежал здание, пытаясь найти машину до клиники. Слишком поздно. Никто не вез, да и клиника была закрыта. Я опоздал. Пришлось ждать еще два дня. Еще два дня в аду.

Наступила пятница, и я поехал в клинику. Мне помогал лаборант, — он был совершенно беззаботен, а я еще больше перепугался. Мне хотелось знать, что у меня — какая смерть меня ожидает. А этот чувак был спокоен как слон. Я потел, трясся, нервно переминался с ноги на ногу...

Техник оторвался от своих дел и смотрел на меня несколько секунд.

— Эй, парень, не думаешь ли завязать?

— Что?

Я был так взвинчен, что толком не разобрал его слов.

— Пора кончать. Завязывать надо.

— Что за чушь ты несешь? Я чист уже три с половиной месяца.

Он скептически смотрел на меня.

— Это *ты* чист и трезв?

— Да, я чист как стеклышко. А что?

— Ну... у тебя поношенный вид.

— Спасибо.

— Почему ты дрожишь? — спросил он.

— Я жду, когда ты принесешь мои гребаные анализы!

Он откинулся на спинку стула и протянул: «А-а-а. Ты в порядке. Мы сказали бы тебе, если бы что-то было не так».

Я оплакивал свое отвратительное отношение к людям, которых любил.

Я упал на землю. Я свернулся калачиком и застонал. Техник подошел ко мне и усадил меня обратно в кресло.

— Извини. Я не должен был говорить, что у тебя поношенный вид.

— Нет, нет, нет. Это не важно. Ты прав, у меня *действительно* поношенный вид. Это не важно. Боже мой. У меня нет СПИДа. У меня нет СПИДа! Нет. Погодите, а что с гепатитом С?

— Мы не делали этот анализ. Он сдается отдельно.

Конечно. Но сейчас мне уже было все равно. Я думал: «*Пусть у меня будет гепатит С. Но у меня нет СПИДа. Мне наплевать*».

Я очень радовался, что не буду гнить в больничной койке.

***

Я был трезв несколько месяцев, и, возможно, это спасло мне жизнь. Когда деньги от ПРМ закончились, я стал искать себе место, где можно остановиться. Сначала мне не везло, но я не унывал. Я думал, как мне выбраться из реабилитационного центра и вернуть себе свободу. В итоге я остановился у Барона. Этот рослый детина был другом байкеров, и он разрешил мне остаться в его доме при условии, что я буду трезвым, буду ходить на два собрания в день, буду работать по дому и найду спонсора.

Свобода, говорите? Так получилось, что жизнь в доме Барона оказалась еще тяжелее, чем в клинике. Сам он был трезв уже два года и бдительно следил за мной.

Я делал все, о чем меня просили. У меня появился спонсор Робби, и он был очень добр ко мне. Он купил мне мобильный телефон и ботинки — первые новые ботинки за несколько лет. Не будь Робби, я никогда не прошел бы всю программу «12 шагов». Я узнал, что у наркозависимых есть веская причина, из-за которой они употребляют. Это может быть их отец или дядя, который насиловал их в детстве, а может, само детство было ужасным. Алкоголики и наркоманы — люди с травмированной психикой, а выпивка и наркотики заглушают их боль.

Моя травма заключалась в том, что я был заброшенным ребенком. Моя мать забросила меня в детстве. Она не защищала меня, когда я нуждался в защите. Моя подруга Ким разошлась со мной в начальной школе без видимой причины. Моя подруга Кори перевелась в другую среднюю школу. Еще одна девочка из школы — Джейми — поругалась со мной и уехала. Клаудия бросила меня. Анна бросила меня. И Дженнифер, моя последняя подруга и созависимая, сдержала ли она свое обещание? Ведь она обещала, что мы никогда не расстанемся. Я давно ничего не слышал о ней.

Робби предложил мне составить список всех людей, которые бросали меня, и рассказать, что представляли собой наши отношения. Я начал вспоминать, как меня не любили, как все, кто говорил, что меня любит, и обещал никогда не бросать меня, — все они меня бросили. Меня, меня, меня... Я очень себя жалел. Эта боль была невыносимой. Когда я закончил, Робби ознакомился со списком.

— Хорошо, а какова твоя роль во всем этом? — спросил он.

— Моя роль? Никакая. Они бросили меня, будь они прокляты.

— Но какая была твоя роль? Что они получили взамен?

— Я никому ничего не давал взамен, — сказал я. — Моя мать бросила меня, и поэтому в моей жизни появлялись девочки, которые тоже бросали меня, вот и все.

— Значит, ты им ничего не дал?

— Нет, я им ничего не дал! — орал я.

Робби улыбнулся.

— И ты орал на них?

— Орал ли я на них? — тут я задумался. — Да, конечно, я орал на них.

— Ты проклинал их?

— Да, я проклинал их.

Он кивнул головой.

— Ты поднимал на них руку?

— Нет, — сказал я. — Нет, я хочу сказать, что я с ними препирался, но никогда, повторяю, никогда не бил их по лицу.

— Я не об этом спрашиваю, — сказал Робби. — Ты поднимал на них руку? Ты их толкал?

— Да, я мог толкнуть.

Этот момент **был очень** важным в **моей жизни, так** как в этот момент **я** разорвал **порочный круг** *выученной беспомощности.*

— Всех без исключения?

— Я не знаю, черт побери. Да, я мог толкнуть их, когда мы ссорились, и, ты знаешь, раздругой я отвешивал кому-то из них пощечины.

— Неужели?

— Да, а что?

— Я просто спросил. Запишем. Ты обманывал их?

— Да, конечно, я обманывал. Обманывал их всех.

Похоже, что Робби был в шоке.

— Их всех?

— Да, а что такого? Тебя это удивляет? Так поступают все парни.

— Что ты говоришь?

— Да, — сказал я. — Мужчины обманывают. Все поголовно. Мужчины — обманщики. Все мужчины — обманщики.

— Ты ручаешься за всех мужчин? За три миллиарда мужчин на планете?

— Дружище, у меня было достаточно знакомых, и мне достаточно хорошо знакома их личная жизнь. Парни обманывают. Уж в этом-то мне поверь.

Робби придвинулся к моему лицу.

— Халил, я должен тебе кое-что сказать, а ты, будь добр, меня выслушай.

— Да, я слушаю.

Он постучал пальцем по столу.

— Эти девочки не бросали тебя.

— Какого черта ты говоришь это?

Он покачал головой.

— Они не бросали тебя. Они *сбежали*.

Я онемел.

Робби продолжал:

— Если ты любил бы их так сильно, как утверждаешь, я не хочу здесь с тобой спорить, но если ты любил бы их, ты не обманывал бы их, ты не орал бы на них, не обзывался, не толкался, не давал бы пощечин. Ты так плохо обращался с этими девочками, что они больше не могли терпеть и сбежали. Сделай мне одолжение. В будущем, когда у тебя будет человек, о котором ты сможешь позаботиться, не веди себя с ним так. Не груби, не обзывайся, не ври.

Я не выдержал и запричитал. Я оплакивал свое отвратительное отношение к людям, которых любил. Я плакал, потому что сейчас понял все совершенно отчетливо. Жизнь других людей казалась мне идеальной, — любая жизнь, кроме моей собственной. В отношениях с женщинами я стремился к совершенству, но при малейшем дискомфорте я саботировал отношения, потому что не знал, как выйти из положения достойно, не теряя лицо. Я всегда прятался. И правда, я прятался от своей тени.

Эта мысль стала очень важным поворотным моментом в моей жизни. Я понял, что груз депрессии и тревоги перестал быть невыносимо тяжелым. Благодарю тебя, Робби.

Вскоре я позвонил маме и начал расспрашивать ее о прошлом. Я не имел ни малейшего понятия о трудовых лагерях, обо всем, что ей довелось пережить в военные годы. Она не была слишком словоохотливой, рассказывала очень мало, но этого было достаточно, чтобы понять, что мама сделала все, что могла в сложившихся обстоятельствах. Она пережила травму, ее муж был свирепым монстром, а тут еще я — сынок с шилом в заднице. Это была не ее вина, что из меня вырос несчастный бездомный джанки. Я сам был виноват.

И мой старый мир рухнул.

***

Робби купил мне абонемент в спортзале «Спектрум» на Пасифик Палисадез, и я начал тренироваться с завидной регулярностью. Сначала было тяжко, но я заставлял себя ходить туда каждый день. В сауне была такая жара, что яйца потели, но мне нравилось. Каждый день я парился в сауне по пятнадцать-двадцать минут, а потом вставал под ледяной душ. Я увлекся сауной, проводил там два часа в день. В спортзале меня спросили: «Вы не пробовали ниацин?»[64] Я сказал, что нет, но сразу же поехал в ближайший магазин здорового питания, купил таблетки и вернулся. Сначала я проглотил двести миллиграммов, и меня чуть не увезли на скорой. Я не знал, что дозу увеличивают постепенно.

---

[64] Ниацин — никотиновая кислота. — Прим. перев.

Я купил себе расческу из щетины вепря. Она жгла мою кожу как огонь. От ниацина был зуд и краснота, но я своими глазами видел, что выгляжу лучше и моложе с каждым днем. Я очистился и очень серьезно задумался о детоксе. Когда я оттирал свою беззащитную кожу щетиной вепря — я не просто отшелушивал мертвые клетки и прочищал лимфатическую систему. Я скреб свою душу. Я хотел очиститься огнем, оттереть, отмыть залежи грязи и порока, которые скопились во мне.

Я познакомился с красивой девушкой. С инструктором по пилатесу. Вскоре мы стали встречаться. К моему удивлению, события развивались очень быстро, все складывалось хорошо. Я был честен и рассказал о своем прошлом без утайки. Неудивительно, что девушка отказалась спать со мной, пока я не сдам все анализы.

Все анализы... мать твою.

Я понял, что в глубине души я боялся, что у меня гепатит С, и знал, что, если поделюсь с девушкой своими страхами, она мне откажет. Я пошел домой и рассказал Робби об этой дилемме. Я был в истерике, хотел провериться немедленно, но не хотел ждать результатов. Я уже сдавал анализы, и это был сущий ад.

«Расслабься, — сказал Робби. — Тебя никто не заставляет ждать неделю».

У Робби был лучший друг, который работал продюсером порнофильмов в долине Сан-Фернандо. Мы позвонили ему, и он дал номер клиники.

— Езжай туда и скажи, что работаешь на меня. Скажи им, что ты — новая порнозвезда и снимаешься в фильме. Придумай себе псевдоним. Результаты будут готовы в течение суток. Запросто.

— Разве это возможно? — спросил я.

— Да, это самый точный анализ. Они делают анализ ДНК. Они скажут тебе, есть ли у тебя гепатит С, ВИЧ, даже если вирус дремлет в твоем организме.

Клиника располагалась на бульваре Вентура в долине Сан-Фернандо. Но все оказалось намного сложнее. Я не мог просто прийти и сказать, что собираюсь сниматься в порно и мне нужно сдать анализы. Эта клиника была некоммерческой организацией для порноактеров, ее возглавляла красивая женщина, которая случайно заразилась ВИЧ на съемках. Мне задали кучу вопросов:

— На какого продюсера вы работаете?

— Как называется фильм?

— Для гомосексуалов, гетеросексуалов или бисексуалов?

— Вы занимаетесь анальным сексом?

Я провел там три часа с юношами и девушками, которые *впервые* снимались в порно. Мы смотрели ролики про клизмы, экскременты, семенную жидкость, нам показали, как выглядит ВИЧ и гепатит С. Это был какой-то сюр.

Друг Робби был прав только в одном: я получил результаты анализов на следующий день. У меня не было гепатита С, и мне давали 100% гарантию, что у меня нет ВИЧ, потому что прошел инкубационный период.

Придя на свидание с инструктором по пилатесу, я сразу же показал ей свои результаты. Я был очень счастлив. Потому что я был чист. И по другим причинам... Я думаю, вы знаете, по каким.

***

Я сидел в кафе «Мармелад». Я был трезв уже девять месяцев, когда позвонила моя мама. Ее голос звучал

Не важно, **ЧТО ПРОИСХОДИТ** в твоей **ЖИЗНИ, — ЧТОБЫ быть счастливым,** достаточно просто **ПРЫГНУТЬ В воду.**

отстраненно. Она только что была у врача, и у нее диагностировали рак. Я пришел в смятение.

Меня убивало, что у меня нет денег, чтобы поехать домой, навестить маму или помочь оплатить счета за лечение. Ей было шестьдесят шесть лет, она была одна и работала шесть дней в неделю младшей медсестрой в больнице Толидо. Мама жила от получки до получки в маленькой квартирке на Кенвуд-Гарденс, в многоквартирном доме.

Повесив трубку, я принял решение: мне нужно заработать деньги. Я должен позаботиться о своей маме. Это была моя единственная цель. Я растратил зря свою жизнь, пренебрегал мамой, и, наверное, я не смогу заработать много денег, но я все равно могу позаботиться о ней.

***

Я продолжал принимать участие в программе «12 шагов» и высоко ценил безоговорочную любовь и поддержку ее участников. Куда еще можно прийти, поднять руку и сказать: «Однажды у меня кончился кокс, поэтому я купил крэк, смешал его с лимонадом и вмазался в шею»? А совершенно незнакомые люди будут хлопать тебя по плечу, обнимать и приглашать на обед... В итоге я даже стал прислушиваться к советам и мыслям, которые высказывались на собраниях, — что я должен смиренно сказать людям, что мне нужна работа. Не важно, какая это будет работа, она просто нужна.

Я познакомился с отличной семейной парой гомосексуалов. Крис и Глен разрешили мне убирать в их доме. Еще я познакомился с Шерман. Она работала грумером и платила мне двадцать долларов в день за мытье собак и чистку параанальных желез. Я даже не знал, что у собак *есть* параанальные железы, но они были, и я выдавливал из них секрет.

Потом я познакомился с Дэрилом Коббом. Это был мастер на все руки, строитель, одно время мы работали вместе. Мы выкорчевывали пень лопатой и мотыгой. Работа была трудная. Я возился десять минут, потом упал на землю и разревелся. Дэрил был очень мудрым и сострадательным. Он подробно рассказал мне о своей трезвости, поведал, что не пьет и не употребляет где-то 16—17 лет. Я не мог в это поверить — неужели человек может оставаться трезвым шестнадцать лет?

Остаток дня я был занят на менее утомительных физических работах. На закате солнца мы вернулись обратно в Малибу, и он высадил меня у «Старбакса». Когда я вылезал из фургона, он протянул мне стодолларовую бумажку. Это были самые большие деньги, которые я держал в руках с тех самых пор, как был трезвым.

Я взял сто долларов, пошел в «Кухню Малибу» и заказал тунца по-швейцарски на поджаренном багете с семечками. Сейчас я закрываю глаза и вспоминаю вкус этого сэндвича. Со многими зубами я уже попрощался и мог жевать только с одной стороны и очень осторожно, потому что это был самый большой сэндвич, который я только ел в своей жизни. Когда я вдохнул аромат тунца и свежевыпеченного хлеба, на мои глаза навернулись слезы. Было приятно расплатиться честно заработанными деньгами. Это не была милостыня или деньги, вырученные от продажи наркотиков или обналички продуктовых талонов. Я заработал эти деньги. Я работал за эти деньги. И мне хотелось работать и зарабатывать. Тогда я этого не знал, но этот момент был очень важным в моей жизни, так как в этот момент я разорвал порочный круг выученной беспомощности.

Я мыл собак у Шерман, когда подкатил рослый дородный черный парень на «Роллс-Ройсе» и вошел в дверь. Я заговорил с ним, предположив, что это известный баскетболист или что-то в этом роде. Он расспросил меня о моей жизни. Я вкратце рассказал ему, что я пережил, объяснил, что снова навожу порядок в своей жизни, сказал, что мне нужна еще одна работа. Он взял бумагу, ручку, написал свой адрес и телефон и предложил встретиться на следующее утро.

Я не обманулся в своих ожиданиях. У него был хороший дом, но, когда он предложил мне зайти, я сразу обратил внимание, что помимо баскетбольных призов у него на полке стоит «Оскар». Рядом была статуэтка «Эмми» или «Тони» (не помню, какая именно) и несколько «Золотых глобусов».

— Вы — актер? — спросил я, смутившись.

— Да, сынок. Меня зовут Луис Госсетт-младший, и я актер.

Наверху страницы **ежедневника была** написана следующая **фраза:** **«Не уповай на серебро** и золото. **Уповай на Бога».**

— Ни фига себе! Так вы снимались в «*Офицере и джентльмене*»?[65]

— Да, сынок. Я играл в этом фильме и в нескольких других.

И тут он улыбнулся величественной улыбкой кинозвезды. Я чувствовал себя довольно бестолково.

Мы вошли внутрь, и он познакомил меня со своими собаками, с двумя большими черными лабрадор-ретриверами по кличкам Королевская Рыба и Просмоленные Башмаки. Я еще не знал, но эти собаки были моими ангелами. Сначала я боялся их, но они очень хорошо вели себя в присутствии хозяина. Он показал мне, где еда и поводки, и предложил работу. Я должен был приходить каждый день, кормить и выгуливать собак. Луис добавил, что на ближайший месяц дает мне пятьсот долларов авансом.

Я не мог в это поверить. Я не мог осознать, что он платит мне столько денег за кормление

---

[65] «Офицер и джентльмен» — фильм с Ричардом Гиром и Деброй Уингер 1982 г.

каких-то собак. Он ушел в комнату, принес чековую книжку, и, как только дверь за ним захлопнулась, собаки набросились на меня и за пару секунд прижали к земле. Они одержали надо мной верх без малейших усилий. Каждая из них весила как минимум по сорок пять килограммов. Прижав меня к земле, собаки вылизывали мое лицо, уши и волосы. Как только они услышали, что открывается дверь, собаки послушно расселись по своим местам. Я встал и принялся вытирать собачьи слюни со своего лица и шеи. Мистер Госсетт громко расхохотался.

— Я вижу, что собакам ты понравился.

Он протянул мне чек и вернулся обратно в свою комнату.

Когда я пришел на следующее утро, собаки сразу услышали, что я открываю ворота, и начали вилять хвостами и поскуливать от восторга. Как только открылись ворота, они опять прижали меня к земле и принялись вылизывать мое лицо. Они были счастливы видеть меня. Не важно, пользовался ли я одеколоном, были ли на мне модные джинсы, чистил я зубы или нет. Меня очень смешили собачьи повадки. А иногда меня так радовал их искренний восторг, что я плакал от умиления. Собаки очень хотели меня развеселить, и я был в полном восторге от них.

В первый день работы я был в такой плохой физической форме, что мог только прогуляться с ними до конца улицы и обратно. Там был пересыхающий ручей, который отделял дорогу от парка, — во время дождей ручей разливался и превращался в большую лужу. Завидев воду, Королевская Рыба и Просмоленные Башмаки разбежались и нырнули. Наверное, это свое купание они воспринимали как поездку в парк с аттракционами. Потом они выпрыгнули, сбили меня с ног, обдали брызгами и снова прыгнули в лужу. Это повторялось неоднократно, — и не было на свете более счастливых собак.

Иногда они бежали в парк, и мне оставалось только гнаться за ними. В итоге я стал сильнее и выносливее и уже не несся за ними, а бежал с ними ноздря в ноздрю. Вместе с ними я начал плавать в океане. Я понял вот что: не важно, что происходит в твоей жизни, — чтобы быть счастливым, достаточно просто прыгнуть в воду. Такое простое и правильное отношение к жизни. И всякий раз, когда я открывал ворота, они учили меня безусловной любви. А я в ней, надо сказать, очень нуждался.

Мистер Госсетт выказывал мне ту же любовь. Ему не нужен был человек, который выгуливал бы его собак. У него был штат помощников и домработниц. Он дал мне эту работу, так как хотел, чтобы я заработал честный доллар и был трезв. Эта любовь вернула меня к жизни, помогла встать и идти дальше, день за днем, как учили нас на семинарах программы «12 шагов».

Со временем я достаточно окреп и облазил с Королевской Рыбой и Просмоленными Башмаками весь Зума-каньон. Из дома Барона я переехал к моему спонсору Робби. Он не брал с меня плату, я просто мыл его машины и собак. Я спал в пустом крыле его дома — дом был таким большим, что его жена даже не знала, что я там живу.

Пьетра наняла меня инструктором буги-серфинга, я обучал ее детей, и она платила мне сорок долларов в час. Я устроился работать в ночную смену в медицинский центр «Ранчо Малибу» только потому, что выглядел довольно помятым, чтобы работать там днем.

Восемнадцатичасовой рабочий день проходил следующим образом. Я вставал в семь утра после ночной смены в медицинском центре «Ранчо Малибу» и ехал в дом мистера Госсетта кормить и выгуливать собак. Когда эта работа была сделана, я шел на пляж и учил детей буги-серфингу. Потом я ненадолго задремывал на песке под музыку диско, нырял в океан, смывал песок, ехал к Шерман и мыл собак, а потом возвращался в дом Робби и мыл его машину.

Я все время был занят, и это было важно. Я не только зарабатывал деньги. Я не допускал рецидива, усердно работал, моя депрессия и тревога были под контролем. Все изменилось, когда я отложил достаточно сбережений, чтобы съехать от Робби и снять номер в гостинице. Когда я снова остался один, мои старые неврозы дали о себе знать. После всех событий у меня началась затяжная, слабовыраженная паранойя, которую я не мог выносить. Я был уверен, что меня хотят убить. За ночь я пятнадцать раз вскакивал с кровати и проверял замок. Утром я вытаскивал всю еду из холодильника и проверял: не отравили ли ее ночью?

Я никому не рассказывал о моих страхах, даже Робби. У меня возникла навязчивая мысль, что после всего, что я натворил, меня разыскивает ФБР. А может, известный киноактер ищет мести, потому что я встречался с его дочерью и подсадил ее на наркотики.

Робби купил мне надувной матрас, и я уже не спал на полу, но однажды ночью я проснулся оттого, что мне показалось, что по мне ползают крысы.

Я зажег свет, но никого не было. Пусто.

Я потушил свет и улегся. Я услышал их опять, только на этот раз они шумели еще громче. Перед глазами вставали сцены из прошлого, когда я был бездомен,

спал в аллеях под деревьями, по мне ползали крысы...
Я был так напуган, что только крепче зажмурился и сделал вид, что все нормально.

Но потом я подскочил и заметался по комнате, вопя и чертыхаясь. Я выбежал из дома и позвонил Робби: «Они в матрасе! Они там!»

Он приехал гораздо быстрее, чем я мог предположить. Робби выпрыгнул из машины с фонарем в руках и поспешил в комнату. Он осмотрел все. Через несколько минут он вышел и печально посмотрел на меня. Ему было жаль меня.

— Здесь нет крыс, Халил.

— Нет, есть!

— Подойди сюда, — сказал Робби, и мы вошли в номер. Я трясся. Он сдул матрас и свернул его.

— Видишь? Никаких крыс.

— Я не могу больше! — орал я. — За мной гонятся. Меня преследуют. Они хотят меня убить!

Робби усадил меня в кресло и десять-пятнадцать минут слушал мой ор. Я рассказывал ему, что они гонятся за мной — полиция, правительство, гуманоиды, сумасшедший киноактер, с дочерью которого я встречался. Когда я выговорился, Робби ласковым голосом произнес: «Слушай, я должен тебе кое-что сказать, только ты не обижайся, очень важно, чтобы ты это понял...»

Я плакал. Потом я глубоко вздохнул.

— Ладно, и что?

— Тебя никто не преследует.

— Откуда тебе это известно?

— Халил, просто послушай. Тебя никто не преследует. Тебя никто не думает убивать. Никто не рыщет за тобой по углам, никто не хочет отнять у тебя жизнь.

— Откуда тебе все это известно?

Я должен позаботиться о своей маме — это была моя единственная цель.

— Потому что ты не такая важная птица, — сказал он. — Я из Нижнего Ист-Сайда в Манхэттене, приятель. Жил там в семидесятые годы. У меня были знакомства среди людей, которые профессионально причиняли боль другим. Я знал гангстеров. Я торговал наркотиками. Если бы существовали люди, которые хотели избить или убить тебя, они сделали бы это давным-давно. Но они не сделают этого сейчас, когда ты трезв, находишься у всех на виду, посещаешь собрания два раза в день и у тебя много друзей. Они убили бы тебя, когда ты был бездомным ничтожеством. Халил, ты не такая важная птица.

Робби открыл мне глаза на то, что все женщины в моей жизни спасались бегством, и теперь я понял, что грядут серьезные перемены. Кокон паранойи, в который я себя заточил, быстро размотался, стоило мне поведать ему о своих страхах и выслушать его слова. В итоге я переехал обратно к Робби. Я еще не был готов к одиночеству.

Я вернулся к восемнадцатичасовому рабочему дню. В этом мне помогли две вещи.

Первой была удивительная книга *«Каждый день с Эмметом Фоксом».* Эммет Фокс был выдающимся и влиятельным духовным наставником, он умер в 1951 году. *«Каждый день с Эмметом Фоксом»* — это сборник из 365 медитаций — по одной на каждый день в году. И каждое утро, выходя из клиники, я читал одну из них. Именно в утренние часы моя депрессия, тревога и страх перед неотвратимостью судьбы были совершенно невыносимы, так что эти ежедневные мантры пришлись очень кстати. Мне было о чем поразмыслить во время рабочего дня.

Не выпасть из напряженного рабочего графика мне также помогала программа Тони Роббинса *«Час силы».* Мой лучший друг Мэтью подарил мне компакт-диски, и с ними начинался мой день. Программа включала в себя от 30 до 60 минут дыхательных упражнений и песнопений, все это было замечательно, и я благодарил Бога за все, что у меня есть, гуляя вместе с собаками.

Ни один мой день не проходил без Эммета Фокса и «Часа силы», весь день я проводил в медитациях, на собраниях, в упражнениях и молитвах. Это было что-то невероятное. Было здорово, что я заложил эту основу и в итоге ощутил прочную духовную связь со всем, что создало меня и эту прекрасную Землю.

Вдобавок ко всему позвонила моя мама и сказала, что симптомы рака исчезли. Страховка покрыла расходы на лечение.

Слава Богу.

Через два года трезвости я отложил около четырнадцати тысяч долларов. Я работал безостановочно, и поэтому у меня не было времени тратить деньги.

А четырнадцать тысяч долларов были баснословной суммой для такого, как я. Я пахал каждый день, чтобы заработать эти деньги, и обналичивал все чеки по их получении. Это был настоящий кошмар, потому что я не мог открыть банковский счет и получить банковскую карточку, поэтому мне приходилось ездить в долину Сан-Фернандо или в Санта-Монику, где я обналичивал чеки и отгонял воспоминания о прошлом.

Все мои наличные хранились в стодолларовых купюрах, они были перетянуты резиновыми лентами и спрятаны под раковиной. Вскоре, вместо чтения Эммета Фокса и утренних молитв, я стал доставать деньги из-под раковины и пересчитывать их каждое утро. Это была какая-то мания. Я принялся фантазировать, как заработаю еще больше, намного больше. Я стал думать, что можно купить на эти деньги и как хорошо мне будет. Обычно я фантазировал, какую машину куплю. Тогда я ездил на «Вольво» 1987 года выпуска с пробегом триста двадцать тысяч километров. Это была старая пепельница на колесах.

Все больше и больше меня занимала идея прибыли, и я принялся обмозговывать всевозможные схемы быстрого обогащения. Жизнь в Малибу была экстравагантной, все вокруг меня были очень богаты или, по крайней мере, имели богатых родителей. Все мои друзья ездили на «Кадиллаках Эскалейд» и «Рейндж Роверах» и находились на полном обеспечении мам и пап. Я любил их, но в то же время сильно завидовал им. Зависть пожирала меня изнутри.

Я был готов заработать много денег, причем быстро. Так я, по крайней мере, думал.

Я понял, ЧТО ДОЛЖЕН жить честной ЖИЗНЬЮ, **насколько это** возможно.

***

На собраниях программы «12 шагов» я встретил Даниэля. Его родители и дедушка с бабушкой были очень состоятельными людьми, и, когда умер его отец, Даниэль унаследовал миллионы. Он всегда хорошо выглядел и был очень обаятельным парнем. Я злился на него, но любил его. Выйдя из рехаба, он попросил меня быть его наставником, поэтому довольно много времени мы проводили вместе. Во время наших разговоров он рассказал мне, что инвестирует в фьючерсы и опционы, покупает контракты на серебро и золото и зарабатывает бешеные деньги. Из сорока тысяч долларов он делал восемьсот тысяч менее чем за девяносто дней.

Я завороженно слушал его рассказы и горел желанием узнать побольше обо всем этом и поэтому принялся расспрашивать других. И все как один говорили: «Не инвестируй в фьючерсы и опционы. Все теряют деньги на этом. Все».

223

«*Ага, — подумал я. — Все, но только не я*».

Даже Даниэль меня отговаривал: «Это очень волатильный рынок, Халил. Ты можешь потерять много денег. Причем сразу».

В слепом приступе паранойи я начал подозревать, что Даниэль просто не хочет, чтобы я заработал немного денег. Я рассвирепел и принялся донимать его своими просьбами. В итоге он согласился мне помочь и предложил начать с покупки контрактов на золото и серебро.

Я поехал к Даниэлю и протянул ему все четырнадцать тысяч.

«У меня хорошее предчувствие, — сказал я. — Я инвестирую все».

Он отказывался раз двадцать, но в итоге я его уломал. Все до последнего цента он инвестировал в контракты на золото. Как я и ожидал, золото росло в цене несколько дней подряд, и я заработал уйму денег. Я не могу назвать точной цифры, но это было что-то вроде «золотой лихорадки».

Мне позвонил Даниэль.

— Все в порядке, Халил. Ты заработал немного денег. Готов продавать?

— Смотри, приятель, я в золоте. Цена на золото растет параболически. Это моя долгосрочная инвестиция.

Я ничего не знал о рынке и чеканил фразы, смысл которых едва понимал, но изрекал их, как Оракул из Омахи[66].

— Почему бы не вывести половину средств? — спросил Даниэль.

---

[66] Автор имеет в виду американского инвестора Уоррена Баффета. — Прим. перев.

— Нет, — возразил я. — Я не собираюсь выводить половину средств. Хочу заработать немного гребаных денег.

Я держал все деньги в контрактах на золото, и цена на золото шла вверх. Там было несколько падений, но дальнейшие отскоки приносили мне все больше и больше доходов. Биржевые сводки на канале CNBC стали моей очередной зависимостью. Я не спал. Я перестал читать, забросил молитвы и медитации. Я грубил людям, а они даже не понимали, в каком стрессе я нахожусь. Целыми днями я отслеживал взлеты и падения рынка.

Я продолжал бегать с Королевской Рыбой и Просмоленными Башмаками, так как любил этих собак, но пропускал собрания программы «12 шагов» и гулял с разными девушками. Одной только трезвости было мало. Сейчас я хотел разбогатеть.

Через несколько недель рынок начал выглядеть очень шатко, и Даниэль снова спросил меня: не думаю ли я продавать?

«Нет», — твердо ответил я.

Он выдвигал разные доводы, которые могли бы убедить меня в том, что пора выводить деньги, но я уперся. Я был уверен, что золото в последний раз подскочит вверх. На следующее утро я проснулся в три часа утра и бросился узнавать курс золота на международном рынке. Все было хорошо. Я спустился вниз по лестнице и стал ждать, когда откроется американский рынок. Уже несколько недель меня мучила бессонница. Усталость в итоге доконала меня, и я вырубился в кресле-мешке около шести утра.

Проснулся я в пол-одиннадцатого. Телевизор молчал. Я посмотрел на верхний правый угол экрана, желая узнать курс золота. Мое сердце сжалось. Я протер глаза и открыл их снова. Перед глазами все расплывалось. Золото обвалилось в цене... До тридцати двух долларов за унцию. Глядя в экран, я схватил телефон и попытался произвести математический расчет. Похоже, я потерял тысячу долларов.

Почему не звонит Даниэль? Он должен был продавать, когда начался обвал.

Я посмотрел на телефонную трубку и понял, что она отключилась. Села батарейка. Я поставил трубку на базу, и, когда она включилась, на экране высветились семь голосовых сообщений, и все от Даниэля.

«Эй, приятель. Хочешь продавать? Перезвони».

«Халил, это Даниэль. Сейчас надо продавать. Перезвони».

«Перезвони мне».

Я не стал слушать последние четыре голосовых сообщения. Я набрал номер Даниэля. Комната наклонилась вбок. Лоб онемел.

Даниэль ответил с первого звонка. Все мои деньги пропали. Все эти восемнадцатичасовые рабочие дни, семидневная рабочая неделя, каждый сэкономленный цент... я был опустошен. Я рухнул на пол и разразился рыданиями, я щипал себя за ногу и причитал: «Нет, нет, нет!»

Я проклинал Даниэля, что он не продавал, хотя я сам категорически запретил ему продавать. Я злился на себя. Я злился на Бога.

— Бог, как Ты мог так со мной поступить? Как Ты мог? Я так усердно старался, так много работал. Как Ты мог так со мной поступить?

Даниэль понимал мою ярость, но ничего не мог поделать. Он тоже потерял много денег. Он возвращался обратно к матери в Луизиану, где добирал деньги из траста, и просил меня проследить за домом. Я оставался один в его прекрасном особняке на мысе Дюм. Меня снова тыкали носом, как нашкодившего щенка, и показывали, что у меня никогда не будет таких богатств.

Я провел отвратительную ночь. Я не спал. Я думал обо всех потерянных деньгах. Наутро я поплелся в гостиную. Слезы катились градом по моему лицу.

— Бог, как Ты мог так со мной поступить? Я так прилежно трудился.

И рухнул на кушетку.

«Я больше не могу ничего поделать, — думал я. — Я больше не могу ничего поделать. Мне тридцать пять лет, моя жизнь в руинах, и со мной больше никогда не произойдет ничего хорошего».

Я лежал на кушетке и напряженно думал о том, что моя жизнь наполовину прожита, а у меня нет ни цента. Что меня выгнали из средней школы, что я — осужденный преступник и бывший джанки. Наверное, я пролежал так несколько часов, утопая в зловонном болоте отвращения и жалости к себе.

Когда я нашел силы подняться с дивана, я взглянул на журнальный столик. Прямо посередине лежал новенький экземпляр книги *«Каждый день с Эмметом Фоксом»*. Я подарил ее Даниэлю на прошлое Рождество. Я забросил свою книгу на несколько месяцев — так увлекся фондовым рынком. Я снова потерялся в жизни, на этот раз я не блуждал во мраке отчаяния и безнадежности, я не был бездомным

Очень скоро
труд начал
приносить мне
облегчение.

джанки, но настроение все равно было хуже некуда. А когда я увидел книгу, настроение окончательно испортилось. Теперь я был разбит и чувствовал себя куском дерьма, так как сошел с удивительного духовного пути, на который ступил.

Я взял книгу в руки, полистал страницы. Я искал сегодняшнее число. Даже сейчас, спустя десять лет, мне с трудом верится в увиденное. Надо сказать, что когда я увидел эту фразу, то подумал: «*Черт побери, Халил. Такого не бывает*». Оказалось, что бывает. Я знаю, потому что это случилось со мной. Наверху страницы ежедневника была написана следующая фраза:

«Не уповай на серебро и золото. Уповай на Бога».

По телу побежали мурашки. Время остановилось.

Бог не желал мне зла. Бог не советовал мне инвестировать в фьючерсы. Скажу, что Он посылал мне знаки сотни раз.

Нет коротких путей. Есть только прямой и узкий путь. Моей миссией была моя работа и помощь людям. Я понял, что должен жить честной жизнью, насколько это возможно.

Я знал, что несу полную ответственность за все хорошее и плохое в своей жизни. Все, что я вложил, — это то, от чего я должен был отказаться. А теперь пришло время вложиться снова.

Только не в серебро и золото. В себя.

ГЛАВА ВОСЬМАЯ

После того как я потерял все на рынке золота и серебра, я не мог сразу вернуться обратно на духовный путь. Но когда я снова ступил на него, я ухватился за него, как утопающий хватается за соломинку. Я регулярно посещал собрания Содружества самореализации Храма Лейк-Шрайн и медитировал. После медитаций я молча сидел у ручья и смотрел на лебедей, скользящих по водной глади озера, стараясь напитаться энергией этой красоты.

По воскресеньям я посещал храм кришнаитов. Там мне встретились совершенно удивительные люди. Они громко распевали мантры, взывая к Богу. Там было удивительное вегетарианское меню. Разрешалось есть сколько хочешь, и все бесплатно. Они готовили с душой. Готовка начиналась в воскресенье утром, — они читали молитвы и распевали мантры в течение 24 часов, — и блюда впитывали в себя духовную энергию, прежде чем подавались к столу. По воскресным дням я наедался, а иногда даже присоединялся к танцам кришнаитов. Я кружился в танце и читал нараспев: «Харе Кришна, Харе Кришна, Кришна Кришна, Харе Харе, Харе Рама, Харе Рама, Рама Рама, Харе Харе».

Все в комнате дышало исцеляющей энергией, **и в итоге** я почувствовал себя превосходно.

В это время воскресла моя старая дружба с одним из самых удивительных людей, которых я встречал в своей жизни. Много раз Шон Френч отчаянно пытался отвадить меня от наркотиков. В последний раз он сделал все что мог, но я не остановился. Когда мы последний раз виделись, я был не в лучшей форме. Я боялся смотреться в зеркало. Клочья волос выпадали из моей головы вместе с кожей. Он пытался запереть меня в ванной и вызвал полицию. Я вышиб дверь плечом и сбежал. Когда я позвонил ему и сказал, что трезв, что хочу встретиться, я опасался, что он натравит на меня полицию. Потом он спросил мой адрес и сказал: «Жди. Скоро буду».

Он объявился через час с сумками из бакалеи — с экзотическими фруктами, травами и биологическими добавками. О многих из них я ничего не слышал. Жгучая крапива, лопух, куркума. Он взял эти травы, фрукты, измельчил их в блендере и предложил мне выпить эту смесь.

231

Я отпил.

— Дерьмовый вкус.

— Не важно. Пей.

Я допил. Теперь вкус показался мне изумительным. Я ежедневно пил соки и смузи Шона, переиначивал его рецепты, пытаясь усилить вкус. Я приправлял напитки медом, лимоном, куркумой, яблочным уксусом, кайенским перцем и имбирем. Мне стало гораздо легче глотать эти смеси, и они благотворно сказывались на моем самочувствии.

Я висел на крючке. Ежедневно я тратил час на поездки на рынок «Едгин» в Западном Голливуде, где просиживал часами, напитываясь изумительной энергией и свежестью органических ингредиентов. Я практически поселился в «Витаминном парке» и всегда поражался, как там подают чаши с ягодами асаи из Южной Америки и с Гавайев, которые сейчас известны во всем мире[67]. Потом я нашел магазинчик «Raw Garage», где закупался парным молоком, йогуртом и маслом. Потом была лавка здорового питания «One Life» в Венис. «Rawvolution» — вегетарианский ресторанчик на Главной улице в Санта-Монике. И так далее и тому подобное.

Вскоре я принялся фантазировать, как открою свой бар, где продукты из магазинов здорового питания, которые я так полюбил, будут сочетаться с пищей, которую готовил Шон. И эта смесь будет вкусной и съедобной. К тому же мне хотелось, чтобы мое заведение было органическим на 100%. И я хотел нанять опрятных, счастливых и здоровых людей, а не белых детей с дредами и грязью под ногтями. От них несло маслом

---

[67] Блюдо бразильских индейцев из ягод асаи — «азан na tigela». — Прим. перев.

пачули, они пытались самоутвердиться за счет наркотиков, музыки, регги и вегетарианства. Мне была неприятна атмосфера многих подобных магазинчиков, так как там у меня возникала мысль, будто стремление к здоровой еде — сущее наказание.

Итак, почему бы не открыть свое заведение вроде «Старбакс», где была бы здоровая органическая еда? Я никогда не был большим любителем кофе, но мне нравилась кофейня «Старбакс». Их заведения всегда были чистыми, уютными, хорошо освещенными и безопасными, у них играла замечательная музыка. Опрятный, веселый, вежливый персонал. Я просто влюбился в «Старбакс». У меня никогда не было мысли, что мое заведение должно разрастись в такую гигантскую корпорацию, как у них, но мне нравилась идея дома для гостей в шаговой доступности от того места, где я жил. Заведение, куда соседи могут сводить своих детей и угостить их органическим замороженным йогуртом после игр Молодежной бейсбольной лиги. Это куда лучше джанкфуда вроде кукурузного сиропа с высоким содержанием фруктозы и химикатов. Заведение, где люди могут попробовать органические соки, органический кофе — все абсолютно натуральное. Место, где люди будут общаться вживую, позабыв о своих мобильных телефонах, ноутбуках и соцсетях.

Я убедил Даниэля вложиться в идею и даже подписал договор на аренду разорившегося магазинчика возле пляжа Зума, в полутора километрах от дома Робби. Но вмешался закон Мерфи[68]: Даниэль взялся за старое,

---

[68] Закон Мерфи формулируется так: если должна произойти какая-то неприятность, она обязательно произойдет. — Прим. перев.

женщина, которая должна была съехать, заявила, что остается. И дело развалилось. Я был убит горем.

* * *

Теперь я работал в дневные смены в рехабе «Ранчо Малибу». Это был настоящий цирк, но он помогал мне оставаться трезвым. Я консультировал людей со сломанной судьбой после серьезных судебных разбирательств, разведенных мужей и жен, людей с неизлечимыми заболеваниями, которые до сих пор не могли оправиться от новости, что у них гепатит С или ВИЧ.

Там у меня была одна пациентка, — я ничего от нее не ждал, кроме неприятностей. Но тут вдруг она сказала, что хочет заняться йогой. Я вызвался ее сопровождать, потому что девчонка была очень хорошенькой, а я никогда не был моралистом. Ее родители оказались так великодушны, что назвали мне номер своей кредитки, и я купил два абонемента на двадцать занятий на двоих.

План был такой. На следующий день мы встречаемся на занятиях йогой, после того как она сходит в парикмахерскую в Санта-Монике. Ее подбросят на машине, а потом я отвезу ее домой. Я приехал заранее, встал возле йога-центра и закурил. Сейчас я вспоминаю об этом с улыбкой, но тогда все это казалось мне естественным. Мимо прошла симпатичная брюнетка с идеальной фигурой и ростом примерно метр семьдесят восемь. Она улыбнулась мне и вошла в здание. Я затушил сигаретный окурок и пошел за ней. Когда я вошел, она стояла за стойкой.

— Чем могу помочь? — спросила она.

— Я жду подружку. Она хочет заниматься йогой.

Женщина снова улыбнулась.

— Замечательно. Меня зовут Лидия. Сегодня я преподаю. Вы тоже занимаетесь?

— Да, — сказал я чересчур громко и воодушевленно.

— У вас есть коврик?

— Нет.

Она одолжила мне коврик и показала, как нужно сесть. Но она забыла мне сказать, что была инструктором третьего уровня, то есть вела занятия для подготовленных людей. Я понятия не имел, что делаю. Через пятнадцать минут мое тело затряслось. Я обливался потом, пытаясь принять то одну позу, то другую. Я был трезв два года, принимал витамины, пил соки и смузи несколько раз в день, но до сих пор моя физическая форма была далека от совершенства. Может быть, следовало винить мою привычку пить кока-колу за ланчем и обедом, каждый день есть пиццу дорито и баловаться жирной едой?

Подошла Лидия и положила руку мне на спину. Она прижала меня к полу, и я принял позу ребенка. Это баласана.

Я лежал ничком, прижавшись к земле, около десяти минут, затем откинулся на спину и принял позу трупа. Это шавасана. Занятие продолжалось час пятнадцать минут, и около часа я провел на спине, то приходя в себя, то теряя сознание. Но все в комнате дышало исцеляющей энергией, и в итоге я почувствовал себя превосходно.

Девочка из рехаба так никогда больше и не появлялась, но с этого дня при малейшей возможности я посещал все занятия Лидии. Резко уменьшилось число выкуриваемых мной сигарет, — не следовало отравлять свой организм, а затем идти в йога-центр. Я исключил

Звучит напыщенно, **но меня** распирает от гордости, **когда я** признаюсь, что сначала научился плавать на мелководье и *только потом* нырнул в **океан.**

джанкфуд из своего рациона и заменил его суперпищей — ягодами годжи, сырыми какао-бобами и пчелиной пыльцой.

Я сходил на шесть-семь занятий и в итоге научился принимать позы и нарастил темп. Лидия всегда говорила мне комплименты, подбадривала меня. Она была не просто красавицей. Она была богиней.

Через две недели я лежал на спине в позе шавасана, и тут подошла Лидия и надавила большим пальцем на мой лоб. Затем она взмахнула скрещенными руками, положила их на мою грудную клетку и сделала резкое нажатие. Я расплакался, сам не зная почему. Нажатие было очень сильным. Я был в замешательстве, но она не отнимала руки от моей груди, и мне показалось, что ее рука исцеляет меня изнутри. Годы боли и стресса начали медленно отступать.

Йога — удивительное и эффективное средство. Все травмы и боль моего детства, которые я перенес в свою взрослую жизнь, были запрятаны глубоко в тканях моего организма, таились в мышечных волокнах. Йога мастерски раскрывает и высвобождает их.

Опять же именно красивая женщина повела меня дальше по духовному пути. Звучит напыщенно, но меня распирает от гордости, когда я признаюсь, что сначала научился плавать на мелководье и только потом нырнул в океан.

***

Как-то во время перерыва я поехал перекусить в мексиканский ресторанчик в Малибу. Я стоял в очереди и тут краешком глаза увидел знакомое лицо. Это была Дженнифер. Когда наши глаза встретились, у меня перехватило дух. То ли она так выглядела, то ли вспыхнуло наше чувство... Наконец мы как-то переборли общее замешательство.

Она сказала: «Я думала, ты умер. В первый год, как ты пропал, я вздрагивала всякий раз, как слышала сирены. Я была уверена, что ты мертв».

— Почему ты меня бросила? — выпалил я.

Она заплакала.

— Я здесь ни при чем. Мне дали таблетки и увезли. Родители наняли охрану, которая следила за мной круглосуточно. Они отобрали у меня мобильный телефон. Мой дедушка нанял детективов, они дежурили в рехабе, чтобы не подпустить тебя ко мне, и следили, чтобы я не сбежала к тебе.

— Не понимаю. Почему ты меня бросила? Ты же сама сказала, что никогда не оставишь меня...

Мы продолжали препираться. Раз десять я задавал ей вопрос, почему она ушла, но не слышал ответа.

В итоге я сменил тему.

— Ты с кем-то встречаешься?

Она сказала, что да. Это был телевизионный актер — довольно смазливый парень. Признаюсь, я почувствовал укол ревности.

Наши с Дженнифер отношения были нестабильными — мы то ссорились, то мирились. Мы препирались и не разговаривали друг с другом, мы ладили, спорили, обнимались, улыбались, смеялись... Но в итоге мы стали хорошими друзьями. Мы столько всего пережили, что одни не поймут, а другие не поверят.

Она хотела знать *все*, что случилось. И я рассказал ей.

Сегодня Дженнифер — мой лучший друг.

***

Фред Сигал — удивительный и выдающийся человек. Он — кумир модной индустрии. Ему принадлежит идея, что джинсы могут и должны быть модными, он открыл свой бутик сначала в Лос-Анджелесе, а потом в разных странах. Среди его проектов есть медицинский центр, оснащенный по последнему слову техники. Он называется «Каньон» и располагается на трехстах акрах земли, которые принадлежат Фреду. Иногда там гостит Далай-Лама. Я бывал в «Каньоне» и раньше, потому что во вторник вечером там проводят собрания и приглашают пациентов других медицинских центров. Я мечтал там работать.

Как-то я сидел на улице возле «Coffee Bean» в Малибу, и там же, за столиком сидел Фред Сигал и разговаривал с друзьями. Вдруг, повинуясь безотчетному порыву, прежде чем мой мозг успел меня отговорить, я подошел к ним, выпрямился и отчетливо произнес:

Доктор не **обязан**
дружить с пациентами,
но **в первую** очередь
пациенту нужен друг.

«Мистер Сигал, я готов на все, чтобы работать в вашем медицинском центре».

— Зови меня Фредди, — сказал он.

— Ладно, Фредди. Я готов на все, чтобы работать в вашем медицинском центре.

— Неужели?

— Ага.

— У тебя есть ручка?

— Нет, сэр.

— Так пойди и возьми ручку! — рявкнул он.

Я вбежал в «Coffee Bean». Я даже не подумал спросить ручку, а просто взял ее с прилавка и побежал обратно к столику.

Фредди сказал: «Записывай». И отбарабанил свой телефонный номер.

— Как тебя зовут?

— Халил.

— Хорошо, Халил. Позвони по этому номеру, спроси Лео и скажи, что я тебя нанял.

А потом он повернулся к своим собеседникам и продолжил разговор с ними, утратив ко мне всякий интерес. Бедный Лео. У меня не было ни опыта, ни образования, ни диплома, чтобы работать у него. «Ранчо Малибу» согласилось дать мне работу. Лео нанял меня на ночные смены, но иногда я подменял людей днем, когда кто-то из сотрудников заболевал. Меня взяли потому, что так решил Фредди, а он был хозяином.

У меня не было ни малейшего представления, как работают профессионалы. Но я получал зарплату раз в месяц. Я не только не знал, как вести себя с пациентами, какие рамки в общении с ними устанавливать, — я еще и задавал слишком много вопросов. К счастью, врачи были людьми очень терпеливыми, с разной биографией. Оглядываясь назад, я думаю, что они больше намучились со мной, чем с пациентами, — вся клиника объясняла мне, что к чему.

Стена в кабинете Кэтлин была увешана дипломами, свидетельствами об окончании магистратуры и докторантуры, и она была очень добра со мной, любила меня. Кэтлин специализировалась на охране психического здоровья работников, была специалистом по социальной защите, что бы это ни значило.

Лео заведовал клиникой и был помешан на тольтекской мудрости и на книге *Четыре соглашения* дона Мигеля Руиса. Лео дружил с доном Мигелем, и вместе они объездили всю Мексику.

Келли был экс-атташе. Он очень любил помогать детям и до того, как начал работать в клинике, опекал детей-инвалидов. Долгие часы он обучал меня когнитивной поведенческой терапии и диалектической поведенческой терапии. Это самые эффективные методики, которые я знаю. Этот парень — самурай. В лучшем смысле этого слова.

За лечение в «Каньоне» пациенты платили шестьдесят тысяч долларов в месяц. За работу мне платили четырнадцать долларов в час, но я выполнял бы ее и бесплатно. Обо мне заботились больше, чем о многих пациентах, — наверное, потому, что эта забота была мне нужна. Я нуждался в помощи. Я был трезв два с половиной года и не собирался останавливаться на достигнутом. Я думаю, что моя жизнь могла бы сложиться иначе, если бы мои родители могли оплатить мое лечение там. Или если бы нашелся человек, к которому можно было обратиться за помощью, — как у многих пациентов, которые лечились в клинике и выписывались. Но я был в отчаянии. И Кэтлин, и Лео, и Келли понимали, что я хочу выздороветь и исправиться, и поэтому лезли из кожи вон, чтобы помочь мне. Сегодня я благодарю Бога, что они разглядели потенциал во мне — в неограненном камне-сырце.

Пробелы в образовании я восполнял усердным трудом. Хотя я работал в ночные смены и подменял людей, я говорил сотрудникам: «Пожалуйста, если хотите взять день отгула, буду рад вас подменить».

В клинике работали две дюжины человек, и так как очень скоро я стал подменять людей ежедневно, то зачастую я работал две-три смены подряд. Мне нравилось. Я зарабатывал деньги, и мне даже оплачивали медицинскую и стоматологическую страховку, которых у меня не было с детства. Моя жизнь становилась вполне сносной как по форме, так и по содержанию. Я даже немного влюбился в девушку, которая работала в «Витаминном парке» в Малибу. Ее звали Хейли. У нее была прелестная улыбка и красивые голубые глаза. Сам себе удивляясь, я стал там бывать три раза в день, надеясь, что она там окажется и мы поболтаем пять-десять минут, пока я буду неспешно потягивать смузи. Я слишком нервничал, чтобы пригласить ее на свидание, но не мог избавиться от мысли, что где-то ее видел.

В итоге я не утерпел, набрался смелости и спросил: «У тебя нет ощущения, что мы друг друга знаем?»

— Ничего не могу сказать, — ответила она. — Но вроде у меня тоже есть такое ощущение. Может быть, ты знаком с моей сестрой?

— А как зовут твою сестру?

— Эдем.

Я поразился.

— Боже мой, — только и мог сказать я. — Значит, ты — та маленькая девочка, которая захлопнула дверь перед моим лицом.

Она улыбнулась.

— Да, может быть.

И ушла. На этот раз я не мог упустить шанс. С этого дня я старался выглядеть умным. Я рассказывал о предстоящих концертах и фильмах в надежде, что разговор сблизит нас. Я заказывал смузи, а потом говорил: «Знаешь, в субботу выступают отличные музыканты». И ждал: вдруг она заинтересуется?

Интереса не было. Я ничего не мог добиться.

На следующий день:

— Эй, ты слышала про новый фильм? Это сенсация.

Она только улыбалась и отходила от меня.

Я покупал «Лос-Анджелесский еженедельник», внимательно его изучал, читая обо всем, что могло бы ее заинтересовать, надеясь завоевать ее сердце. Музыка, зарубежные фильмы, художественные галереи — все было напрасно. Я сходил с ума. Но она кружила мне голову. И я не думал сдаваться.

***

Равнодушие Хейли приводило меня в бешенство, но дела на работе в «Каньоне» складывались очень даже неплохо. Совладельцем медицинского центра был Майкл Картрайт. Он поднялся из бездны отчаяния и зависимости и стал необыкновенно успешным в своей области — в сфере душевного здоровья и ухода за больными. Он регулярно приезжал из своего дома в Нэшвилле и вскоре обратил внимание на мое усердие и трудовую дисциплину.

Во время одного из таких визитов он предложил отобедать вместе с ним.

Он сказал: «Халил, ты из того сорта людей, которых я называю производителями. Ты производишь результат. Ты — работник, и ты — производитель. Я хочу помочь тебе заняться самообразованием. Что ты думаешь делать?»

Его слова льстили мне. Я никогда не думал о себе в таком ключе. Джанки? Без сомнения. Недостойный любви? Возможно. Но производитель? Что-то новенькое.

— Мне интересны медицинские интервенции. Я мог бы помогать людям в лечении, к тому же я заработал бы неплохие деньги.

Его не удивили мои слова о деньгах..

— Ладно, — сказал он. — Мы можем обучить тебя на медика-интервенциониста. Теперь давай выясним, кем ты хочешь быть через год, через три года, через пять лет.

Я начал рассказывать ему, но он поднял руку.

— Нет, изложи в письменной форме и покажи мне.

Я пустился в объяснения, но он сказал: «Нет. Запиши. Это очень и очень важно. Однажды ты поймешь».

Я мог **перечитать все** книги по **самопомощи, но все** было без толку, пока Я продолжал **цепляться за** *свое прошлое*, как утопающий **— за** соломинку.

Он был прав. Иногда нужно взять ручку, бумагу и составить план. Это очень помогает. Я договорился с Майклом, что записываюсь на курсы дипломированных медиков-интервенционистов, которые он оплачивает полностью. Также он отправлял меня на конференции повышения квалификации и обмена опытом, и по его настоянию персонал «Каньона» должен был оказывать мне посильное содействие.

Теперь, когда у меня имелся определенный кредит доверия, я занялся медицинскими интервенциями и, к моему восторгу, начал зарабатывать деньги. Я не имел понятия, как поступил бы «профессионал», и, возможно, именно поэтому я был так успешен в своем деле. Многие наркоманы необыкновенно изворотливы и очень подозрительны. Со временем они учатся не доверять врачам и презирать начальников. «Я — вне закона, я — бунтарь. Я всегда был и буду таким. Я говорю всякую ерунду и лезу из кожи вон, пытаясь рассмешить людей». Эти люди пережили боль, и немалую боль, так же как и я. Доктор не обязан дружить с пациентами, но в первую очередь такому пациенту нужен друг.

Представьте, что вы — единственный человек, кто выжил после ужасной авиакатастрофы. Это травма, ужас, чувство вины и ночные кошмары. Можно побывать у пяти психологов или психиатров, или так называемых «специалистов», и я не хочу сказать, что эти визиты бессмысленны... Но представьте себе, что вам встретился человек, который тоже был единственным уцелевшим после ужасной авиакатастрофы, — но эта трагедия произошла с ним давно, и теперь он пришел в себя и полностью оправился. Вы говорите с людьми, которые пережили трагедию, и это общение помогает вам, ведь эти люди знают, о чем говорят, и они понимают ваши чувства...

Признаюсь, я уважаю терапевтов и психиатров, но если ты — гребаный наркоман и мучаешься, ты в ужасе, тебе непонятно — сможешь ли ты остановиться. А тут перед тобой сидит такой же гребаный наркоман, который смог остановиться. Такой терапевтический процесс — когда двое сидят вместе и просто разговаривают — необыкновенно важен.

Когда я смотрел пациентам в глаза, рассказывал им о своем прошлом, о том, что я пережил, а потом говорил, что люблю их, что они выкарабкаются, — у них появлялась надежда.

Практически все, с кем я работал один на один за время моей практики в «Каньоне», — сегодня не пьют, они слезли с иглы. Я до сих пор с ними на связи. Эти люди добились своего Божьей милостью и желанием трудиться. Надо сказать, что сегодня некоторые из них — мои лучшие друзья.

И вот уже я отработал в «Каньоне» более двух лет, я жил трезвой жизнью, и все у меня было в порядке. Я прочел много книг по саморазвитию: *«Секрет», «Психокибернетика», «Энергия позитивного мышления», «Думай и богатей».* Постепенно мое отношение к жизни и моя самооценка менялись к лучшему, и моя паранойя практически полностью исчезла. Я считаю, что началом этому послужил наш разговор с Робби, который состоялся поздно вечером после семинара программы «12 шагов». Я произносил обличительную речь, ругая детство, плохих родителей и своих насильников. Робби заговорил нарочито громко:

— Это было тридцать лет назад, — сказал он. — Думаешь, кому-то интересно слушать твои истории?

Он смотрел на меня немигающим взглядом. Надо полагать, он глядел на меня, как любящий отец — на своего сына. Вдруг он задал мне один из «экзистенциальных» вопросов:

— Кем бы ты был без своей истории?

— О чем ты говоришь? — спросил я.

— Кем бы ты был? Кем бы ты был, если не рассказывал бы одну и ту же печальную душещипательную историю снова и снова? Если ты завязал, значит, кончай рассказывать про наркотики и про то, что делал ради них. Хватит трепаться обо всем этом дерьме, которое стряслось с тобой, когда ты был ребенком. Тебе уже тридцать семь лет. Тебе никто не хочет причинить боль. За тобой никто не гонится. Тебя никто не удерживает силой, никто не насилует. Ты трезв три года. Кончай рассказывать эти истории. Откажись от этой своей романтики.

246

> Когда я **смотрел пациентам** в глаза, **рассказывал им о своем прошлом,** а потом **говорил, что люблю их,** *что они* выкарабкаются, — **у них** появлялась **надежда.**

Кем бы ты был без своей истории? Кем ты хочешь быть?

Он повернулся и ушел наверх спать.

Я сидел в шоке и безостановочно курил «Camel Lights». Меня как будто парализовало. Всю жизнь я рассказывал себе одну и ту же историю — мир плох, я плох, Бог оставил меня. И я верил в это. Я верил, что осужден на муки, — это очевидно, как и то, что небо голубое. Но это не Бог оставил меня, это я оставил самого себя. И моя мать не бросала меня. Она сделала все, что было в ее силах.

Где-то я прочел, что девяносто процентов наших ежедневных мыслей — это те же самые мысли, что были у нас вчера, позавчера и так далее. Снова и снова мы твердим себе одну и ту же ерунду, а потом удивляемся, почему никак не можем измениться. Наши мысли не меняются, наши привычки не меняются, чего же тогда удивляться, что наши жизни не меняются? Я мог перечитать все книги по самопомощи, но все было без толку, пока я продолжал

247

цепляться за свое прошлое, как утопающий — за соломинку.

***

Во время работы в «Каньоне» я был очень бережлив. Я уже не инвестировал во фьючерсы, — мысль об экономии преследовала меня, я ужасно боялся, что снова стану бездомным и нищим. Поэтому я вез свой зарплатный чек в «Бэнк оф Америка», обналичивал его, ехал к нумизматам в Инглвуд и у них покупал золото. После урезания расходов вся моя зарплата до последнего цента, все бонусы и все, что я зарабатывал частными консультациями и медицинскими интервенциями, были вложены в золотые монеты Сент-Годенс MS64 до 1933 года. Я хранил их в банковской ячейке. Я начал покупать золото по пятьсот долларов за унцию и продолжал покупать дальше, так как цена медленно росла. Через три года каждая из монет, купленных мной за шестьсот долларов, подорожала на тысячу восемьсот долларов.

На туалетном столике в моей спальне были приколоты фотографии, которые воплощали для меня успех. На краю зеркала висела фотография новенького «Вольво XC90». Много лет назад меня подвозили пассажиром на заднем сиденье этой машины, и хотя моя мечта выглядела глупой, — я знаю, многие парни мечтают о «Феррари», «Порше» и так далее, — но «Вольво XC90» был особенным. В нем я чувствовал себя в безопасности. Я пообещал себе, что однажды буду владеть таким авто.

Я видел в своей жизни не так много хорошего, поэтому решил, что эта моя мечта сбудется. Одна из моих пациенток работала в финансовом отделе автоцентра «Вольво» в Пасадене, и, когда я рассказал ей о машине своей мечты, она предложила мне помощь в покупке. Я сказал, что у меня ужасная кредитная история (я просто перестал платить по счетам и кредитам, когда начал барыжить экстази) и мой кредитный рейтинг составляет всего 460 единиц.

«Повторяю, — сказала она. — Я работаю в финансовом отделе. Я все улажу».

Через неделю я выезжал за ворота, сидя в новеньком серебристом «Вольво». Это была моя машина, и она была прекрасна.

Таким образом, я был трезв, читал замечательные книги, у меня был золотой слиток в банковской ячейке и машина — моя гордость. Но кое-чего у меня не было — скромности. Это качество я так и не приобрел. Это бесило моих коллег из «Каньона». Они без конца повторяли мне: «Халил, в конце смены нужно работать с документами. Надо заполнять бланки, карты и так далее».

Я не заполнял. В школе я никогда не делал домашнюю работу — просто *никогда*, — я игнорировал правила, когда меня заставляли их выполнять. Мне уже давно указали бы на дверь, но, поскольку я всегда умел добиваться результатов и генерировал доходы, меня терпели. В итоге мое поведение и мои манеры перевесили мой вклад в процветание клиники. И меня уволили.

Я был опустошен. Я возмущался из-за увольнения, хотя в глубине души знал, что сотрудник из меня никакой. Если бы я держал язык за зубами и выполнял работу, которую обязан был выполнять, никто бы меня не уволил. В идеале мне хотелось бы давать пациентам заботу, веру и любовь. Все это помогало бы им оставаться трезвыми, а не бумажная волокита, из-за которой меня уволили.

Возник страх, начала расти депрессия. Мне было тридцать семь, мой профессиональный опыт оставлял желать лучшего, мне надо было выплачивать кредит за машину, девушка моей мечты начала наконец меня замечать. Я ужасался мысли, что мне опять придется убирать дома и мыть собак за еду. Я не избегал работы, но мне хотелось чего-то большего. Я хотел помогать людям.

Я попытался найти позитивные стороны. Я лечил разных людей и многим помог ступить на путь реабилитации. И хотя я ужасно боялся, что потеряю все, что отложил, я постоянно твердил себе, что нельзя жить, все время думая о деньгах.

«Не уповай на серебро и золото. Уповай на Бога».

Я понятия не имел, когда у меня будет следующая получка. Но я точно знал: надо быть трезвым, надо быть позитивным и искать другую работу. Остальное приложится.

С этими мыслями я покинул «Каньон» навсегда и отправился подкрепиться в «Витаминный парк». Но больше всего мне хотелось увидеть Хейли, — стоило мне взглянуть на нее, как мое настроение и самочувствие улучшались.

В тот день ее на работе не было. Я сидел, надеясь, что она появится и я увижу ее лицо. Мне некуда было идти, я не знал, куда себя деть. Снова на мягких лапах подкрадывались тревога и депрессия. Вдруг зазвонил телефон. Это были родители девушки, которую я устроил в рехаб два года назад.

«Нам нужна твоя помощь, — сказал отец. — В "Блэкберри" нашей дочери есть прибор слежения. Она где-то в Лонг-Бич. Адрес у нас есть, но мы не знаем, что это и где это. Мы беспокоимся, вдруг она в опасности?»

Я сказал, что знаю Лонг-Бич довольно поверхностно, но смогу помочь.

— За ценой мы не постоим, — сказал он. — Пожалуйста, помоги нашей девочке.

Они говорили о реабилитации, о том, что нужно вытащить наркоманку из беды, что необходимо ей помочь. А о чем же они думали, забирая ее из рехаба «Спенсер», разлучая нас? Я назвал отцу имена людей и адреса, куда он мог бы обратиться.

— Знаешь, — сказал он, — нам некому звонить. Она никого не слушает. Но, может быть, она послушает тебя?

— Разумеется.

Я не мог в это поверить. Меня уволили полтора часа назад, и я уже получил новую работу. Я прыгнул в машину, нажал на газ и поехал по шоссе Пасифик-Коуст в Лонг-Бич. В кромешной тьме.

ГЛАВА ДЕВЯТАЯ

о указанному адресу находился дешевый мотель. Не крэк-притон. Это заведение было на ступеньку выше.

Я подошел к стойке и назвал имя девушки.

— Мне надо ее найти. Она есть у вас в списке?

— Да, есть, — сказал портье.

— Хорошо, проведите меня в ее номер.

— Нет, мы не имеем права.

— Вы проведете меня в номер или через три минуты здесь будут двадцать полицейских.

— Ладно, я поищу человека, который меня подменит.

Он провел меня в номер. Я постучался в дверь. Когда девушка открыла дверь, она вздрогнула от удивления.

— Боже мой, как ты меня нашел? Что тебе нужно? Убирайся!

Но я уже вошел в комнату. Везде были разбросаны наркотики и ее одежда. На кровати сидел подозрительный тип, возможно бездомный.

— Собирайся и уматывай отсюда, иначе сядешь в тюрьму.

Он исчез за дверью. Я усадил девушку в машину и повез ее в рехаб в Малибу.

Родители были в восторге. Папа протянул мне чек на пять тысяч долларов. У меня просто челюсть отвисла. Я говорил, что это слишком много, но они только махали руками. Они и так уже потратили кучу денег на разных специалистов. Их сменилось человек пятнадцать. Родители ужасно боятся потерять своего ребенка, а я вернул им дочь, и это дороже денег.

Вскоре мне позвонил преуспевающий бизнесмен. Его сын попал в беду. Десять лет он отказывался от лечения, и отец думал, что навсегда потеряет своего мальчика. Я разыскал этого парня и уговорил его на лечение. Отец был так счастлив, что готов был не только заплатить, — он хотел стать моим наставником и помочь мне расширить круг знакомств.

Мои дела пошли в гору. Я познакомился с очень влиятельными, могущественными людьми, чьи дети попали в беду. Сколько бы лет ни было их ребенку — шестнадцать или сорок пять, — когда я им помогал, работало «сарафанное радио». Я вытаскивал людей из очень щекотливых ситуаций, вытягивал даже тех, кто не мог расстаться со своими корешами из винноварен. Когда я понимал, что дело обещает быть опасным, я вызывал Грозного Гэри. Он был в татуировках с головы до пят и большую часть своей жизни провел в тюрьме. У Гэри была жутковатая внешность, но золотое сердце. Мы познакомились на семинарах программы «12 шагов». Он узнал подробности моей биографии и сказал: «Если понадобится помощь, обращайся ко мне». Грозный Гэри не один раз прикрывал мою задницу.

В любом случае я мечтал открыть свою клинику. Вместо того чтобы гоняться за людьми, подвергая

Родители ужасно **боятся потерять** своего ребенка, а я **вернул им** дочь, **и это** дороже денег.

себя опасности, я хотел, чтобы пациенты сами приходили бы ко мне. А уж я бы о них позаботился. Мне хотелось создать красивое, безопасное место, где люди могли бы жить, лечиться и сражаться со своими демонами. И не один пациент, а пять или даже десять. Именно эта мечта удерживала меня на плаву в самые трудные времена. Эта — и никакая другая.

Все началось со звонка от состоятельного отца из восточных кварталов города. Я знал его дочь по «Каньону». Она лечилась с переменным успехом уже пять лет. Сейчас она жила на улицах района Венис и была готова на все ради дозы. Когда такие девицы пропадают в районе Венис, обычно они оказываются в квартале под названием Город-призрак. К сожалению, этот квартал мне слишком хорошо знаком. В Городе-призраке я вмазался перед своей последней «золотой» дозой. В ту ночь за мной охотилась парочка крэк-дилеров на углу

Четвертой и Брукс, — они были настоящими головорезами. Словом, мне совсем не хотелось снова соваться в эту грязь.

Но у меня была зацепка. Девочка общалась с бывшим бойфрендом из придорожного ресторанчика. Я разметил участок в Городе-призраке и взялся за поиски. Ее родители не отходили от телефона, они были ужасно напуганы, что она умрет прежде, чем я ее найду. Поиски продолжались две недели. Когда я подошел к ней, она меня вспомнила.

— Хочешь вмазаться? — спросил я ее.

Она была джанки, и у нее был приступ паранойи. Она подозревала всех, в том числе меня.

— Иди к черту.

— Нет, я серьезно. Хочешь вмазаться?

— Ты же завязал?

— Я спрашиваю: хочешь вмазаться или нет?

— Наркотики с собой?

Черт, она берет меня на пушку.

— Я принесу.

— Иди, принеси, а потом прогуляемся, — сказала она.

— По рукам. Встречаемся здесь через час.

Я отъехал и позвонил другу, который, по моей информации, продолжал употреблять.

— Эй, парень, мне нужно немного герыча.

— Офигеть!

— Нет, не мне.

— Какой ты ловкач, — восхитился он. — Ладно, я никому не скажу.

— Серьезно, друг, я уже три года как в завязке. Не хочу начинать. Просто нужно немного героина.

— Ладно, парень, без обид. Все, что хочешь.

Он дал мне телефон своего барыги. Мы договорились о встрече, и я купил грамм. Потом я отправился в аптеку на бульваре Санта-Моника, где знал аптекаря и где мне продавали иглы без лишних вопросов. На выходе из аптеки у меня было все что нужно, и я понял, что сам не прочь вмазаться. Я поехал обратно к девочке, но ее не было на месте. Я ждал двадцать минут, вернее — я, героин и пачка игл. Это был настоящий кошмар, и все-таки я оказался сильнее.

Наконец-то появилась босая и немытая девчонка. От нее пахло крэком. Она села в машину и захотела вмазаться здесь же.

«Только не в моей машине, — возразил я. — Поедем туда, где есть туалет».

Мы поехали в «Coffee Bean», что на Главной улице. У них есть маленькая кабинка, которая закрывается изнутри. Говорю это не из хвастовства, но даже сегодня, разбуди меня ночью, я назову двадцать безопасных туалетов в радиусе десяти километров, где можно прекрасно вмазаться. Я передал ей героин, и она закрылась в кабинке. Я знал, что она будет в бессознательном состоянии, но иначе я не мог увезти ее из Венис. Доза могла быть летальной, а мне совсем не хотелось ее терять.

Я позвонил ее отцу: «Она у меня. Что будем с ней делать?»

Он хотел, чтобы я увез ее из страны, прежде чем она снова сбежит и исчезнет на улицах. Не говоря уже о том, что она была из влиятельной политической семьи в Чикаго и ее отец очень боялся снова увидеть свою фамилию в заголовках газет.

Мне хотелось **создать красивое**, безопасное место, где **ЛЮДИ МОГЛИ** бы жить, лечиться и **сражаться** со своими демонами.

В газетах уже писали о том, как один их сын закатил скандальную вечеринку, — всплыли неприглядные подробности. А теперь напишут, что их дочь торгует телом за крэк?

«Увози ее отсюда, — сказал он. — Может быть, вам уехать в Панаму? Там живет ее экс-бойфренд. Они переписываются».

У меня не было ни времени, ни желания все это обсуждать.

— Отлично! Заказывай билеты. Мы улетаем первым рейсом.

— Ладно, я перезвоню.

Двадцать минут. Тридцать. Девочка не появлялась. В туалет заходили люди, стучались в дверь и удивлялись, почему заперто. Я слышал, как она бубнит под дверью. По крайней мере, она жива.

Администратор за стойкой сказал:

— Ваша подруга задерживается.

— Мне очень жаль, но ей нездоровится.

Я забарабанил в дверь.

— Уходим. Сейчас же!

Она открыла дверь, ее руки были измазаны кровью. Кровь капала на пол. Я поволок ее к машине, затащил и закрыл дверь.

Когда я посмотрел на нее, то понял, что она не может ввести иглу в вену.

«У меня не получается», — жаловалась она.

Стало ясно, что она не вмажется без моей помощи, а значит, я не смогу посадить ее на самолет, — у нее паранойя, так просто с ней не справиться. Я взял иглу, ввел ее в вену, набрал контроль и повел поршень вниз. Я даже не проверил, когда увидел, сколько героина в шприце. Тело девушки обмякло.

«Мать твою. Я только что убил эту девочку».

Я дал ей пару пощечин. Она пробормотала какие-то слова, смысла которых я не разобрал. Я побежал в супермаркет на углу Пико и Четвертой улицы и принес три банки «Ред Булла». Раскрыл ей рот и принялся вливать в него содержимое банок. Она медленно приходила в себя.

Уф-ф-ф! Чуть-чуть не считается.

Вдруг зазвонил телефон. Это был папа.

— Следующий рейс не раньше двенадцати часов ночи.

— Да вы шутите.

Я смотрел на это недоразумение в моей машине — в крови, блевотине, в липком «Ред Булле». Она то приходила в себя, то снова теряла сознание. Занимаясь ее поисками, я не спал полтора дня и уже забыл, когда ел. Я не хотел в этом признаваться, но запах героина и ее неопытность выводили меня из себя. К тому же я чуть не убил ее передозировкой. Я был на пределе. И что мне с ней делать до двенадцати часов?

Мы бесцельно разъезжали по городу, потом остановились возле рехаба, где она лечилась, пока не затерялась на улицах Города-призрака. Я забрал оттуда ее чемодан и одежду. Когда я уже был не в силах находиться с ней в одной машине, мы поехали в гостиницу, что возле аэропорта. Там оставалась одна свободная комната, и портье запросил четыреста пятьдесят долларов за ночь.

— Вы надо мной издеваетесь? — спросил я. — Я снимаю комнату на вечер.

Он медленно перевел взгляд на девочку, а потом — снова на меня.

— Извини, парень, но мы дорожим своей репутацией.

— Нет, нет и еще раз нет. Это не то, о чем вы подумали.

— Ладно.

— Все в порядке. Дайте ключи.

Когда мы вошли в номер, я позвонил официанту. Я умирал от голода.

— Принесите салат «Цезарь». И стейк. Самый лучший и самый прожаренный. И немного жареной картошки!

Девочка лежала на постели под кайфом, но умудрилась пробормотать:

— Я тоже хочу есть!

— Ладно, принесите двойную порцию, — сказал я в трубку.

Вдруг, к собственному удивлению, я спросил:

— У вас есть кока-кола в стеклянной бутылке?

— Да.

— Секундочку. В *стеклянной* бутылке.

— Да, сэр, несем.

Еще одно доказательство, что есть Бог на небе. Мне нравилась кока-кола в стеклянной бутылке, потому что в ней содержится настоящий тростниковый сахар. Она напоминает мне годы моего детства.

— Две бутылки, будьте добры!

Я повесил трубку и подошел к девочке. Она бормотала что-то бессвязное и пускала слюни. Потом я сообразил, что она пыталась спросить, что мы делаем.

— Отдыхаем, — сказал я. — Все замечательно.

Когда принесли еду, мое настроение резко улучшилось. Я был очень рад, что все-таки нашел эту девочку, знал, что сейчас буду жевать замечательный стейк и откупорю бутылочку кока-колы. Я оставил официанту очень щедрые чаевые. Он снял крышки с тарелок и удалился. Облизываясь, я уселся за столик. Но не успел я вонзиться зубами в стейк, как девочка расплакалась. Нож и вилка валились у нее из рук. Я встал, отрезал ей несколько маленьких кусочков, чтобы она смогла их прожевать, и сел обратно. Теперь я наконец смогу насладиться пиршеством.

Только я поднес первый кусок ко рту, как услышал рвотные позывы. Взглянув на нее, я понял, что ее рвет. Я заорал, вскочил и побежал в ванную за полотенцем. Поднес полотенце к ее рту, пытаясь вытереть рвоту и не запачкаться. Бесполезно. Она заблевала мне все руки тошнотворной смесью «Ред Булла» и непереваренного стейка. Я не мог это выносить. Я обложил ее какими-то ужасными матерными ругательствами. Потом я вспомнил, как и сам был таким, как блевал и срал везде.

«Наверное, я отрабатываю свой кармический долг», — подумал я и рассмеялся.

Я отволок девочку в ванную и положил под душ. Когда она очнулась, я вытащил ее из ванны и понес обратно в кровать.

«Я хочу курить», — заявила она.

Я знал, что она говорит про героин, но мне было все равно. Я посажу ее на самолет и увезу из страны. Она не должна понимать, что происходит, и дурь облегчит мою задачу. К условленному часу я взял такси до аэропорта, оставив машину в гостинице на тридцать девять дней. Я буквально нес девчонку на руках до таможенного контроля. Нас остановили.

— Что случилось?

— Мне очень жаль, — сказал я. — Но моя девушка боится летать. Она только что выпила баночку ксанакса.

— У нее есть рецепт на ксанакс? — спросил таможенник.

Я пристально посмотрел ему в глаза и ответил:

— Да, конечно.

— Проходите, — сказал он и показал дорогу.

Девочка была в полной прострации, на ее руках виднелись дорожки от уколов, но была уже поздняя ночь, и, наверное, таможенники тоже очень устали. Мы сели на самолет, она была в отключке все те шесть часов, что мы летели до Панамы. Я не смел сомкнуть глаз. Я ужасно боялся, что она умрет во сне.

Когда мы приземлились, я выволок ее из самолета. Ее экс-бойфренд встретил нас и повез в Панаму. В старый район Эль Кангрехо. Он снимал уютную квартирку на семнадцатом этаже. Все окна и двери здания были зарешечены.

Когда за нами закрылась дверь, я позволил себе расслабиться, ведь я сдал девочку с рук на руки.

Несколько следующих **месяцев я** мотался в Панаму **каждую неделю** — проверял, как там **моя пациентка**.

— Приятель, я не спал несколько дней, — сказал я. — Я умираю от голода. Мне нужно принять ванну. Мне нужно почистить зубы. А то мне кажется, что у меня во рту кто-то сдох. Я весь в героине, крови, поте и блевотине.

— Без проблем, — сказал этот парень.

И повел меня в заднюю спальню — в единственную комнату, где был кондиционер. Я плескался в ванной, как бегемот, потом включил тихую музыку и вырубился. Когда я проснулся, девочка еще спала. Молодой человек и ее брат следили за ней.

Я взял ее кошелек, паспорт и протянул их брату.

— Сделай одолжение. Прогуляйся до ближайшего Федекса и срочно отправь это родителям.

Так она не сможет сбежать и вернуться в Штаты. Она проснулась через два часа. Она поглядела на экс-бойфренда, потом на меня. Несколько раз она переводила взгляд с одного на другого, пытаясь сообразить, что происходит.

Потом она спросила: «Что за черт? Где мы?»

«В Панаме», — ответил я.

Она перешла в полную боевую готовность.

— Где мои вещи? Где кошелек? Где паспорт?

— На полпути к дому твоих родителей.

Она вскочила и набросилась на меня. Вместе с экс-бойфрендом мы отбивались как могли, пока она не выдохлась. Затем мы прижали ее к полу и держали, пока она не перестала брыкаться. Убедившись, что она неопасна, я отвел брата в сторону, и мы стали думать, что делать дальше.

Она села в дальнем углу комнаты, взглянула на нас и сказала совершенно спокойным голосом: «Когда вы ляжете спать, я убью вас».

Мы убрали из квартиры все острые предметы: ручки, ножи, вилки и даже ложки. Острая стадия ломки продолжалась две недели. Все это время она отмалчивалась, только несколько раз свешивала ноги в окно и угрожала выпрыгнуть, если мы не увезем ее обратно в Штаты. Потом, заговорив, она твердила: «Я хочу домой. Будьте вы прокляты. Ненавижу вас. Мне нужно вмазаться. Терпеть вас не могу».

Я не терял самообладания, хоть мне не раз приходилось хватать ее, валить на пол и душить, пока она не обмякала. Дважды я поднял на нее руку — исключительно в целях самообороны. Ведь она была не только джанки, но и бывшей гимнасткой, так что сил у нее было побольше, чем у многих парней, с которыми мне приходилось драться.

Я провел в этой квартире тридцать восемь дней — все это время мой сон был чутким и тревожным. Несколько следующих месяцев я мотался в Панаму каждую неделю — проверял, как там моя пациентка. С каждым моим приездом она выглядела все лучше и лучше. И в итоге стала совершенно другим человеком — красивой, успешной молодой женщиной.

Сегодня мы — лучшие друзья, и я рад сообщить, что она больше не грозится меня убить.

***

Всякий раз, когда я бывал в Малибу и у меня выдавалась свободная минута, когда мне не надо было нянчиться с торчками, я шел в «Витаминный парк». Здоровое питание, конечно, было очень важно для моей реабилитации, но я бывал там еще и потому, что мечтал встретить Хейли. Однажды, когда я сидел там и что-то рассказывал ей про фильм, который хочу посмотреть, она смилостивилась.

— Ладно, если хочешь узнать мой телефон, можешь спросить.

Я замер.

— Да, конечно.

Она написала номер на листочке и протянула его мне.

Я был бы круглым идиотом, если упустил бы такую возможность, и отлично это понимал.

— Только напиши свое имя, ведь многие девчонки дают мне свои телефоны.

Услышав эти слова, один из случайных посетителей хлопнул себя рукой по лицу и покачал головой. Хейли уже ушла. Я выжидал положенные три дня. Потом набрал номер. Я так разволновался, словно собирался прыгнуть с моста. Спросил ее, не хочет ли она

Здоровое питание, **конечно, было** очень важно для **моей реабилитации,** но я бывал там еще и **потому, что** *мечтал встретить Хейли.*

пойти на фильм «*Наука сна*»?[69] Он в это время выходил на экраны кинотеатров.

— Да, конечно. Когда?

Боже мой. Боже мой. Как она может быть такой спокойной?

Я заехал за ней, и мы отправились в суши-бар «Kushiyu».

Когда принесли еду, у меня совершенно пропал аппетит. Зато Хейли ела больше, чем все девушки, с которыми я встречался раньше. Меня даже испугало то, что она так много ест. Другие девочки не последовали бы ее примеру. Черт, многие *парни* не последовали бы ее примеру. Словом, я был очень впечатлен. Потом мы пошли в кино. В фильме рассказывалась история парня, который влюбился в девочку, но боялся ей сказать об этом, хотя она тоже была в него влюблена. Что-то невероятное. Обязательно посмотрите этот фильм,

---

[69] «Наука сна» — французский фильм Мишеля Гондри 2006 г.

если еще не видели. Идеальный фильм для первого свидания. Иногда звезды помогают тебе.

Вечером я повез ее домой. Мысли путались. До этого дня я часами отбирал правильные песни и записал их на диск, так что нашу поездку сопровождал замечательный саундтрек. Ведь я уже давно представлял, как мы будем ехать вместе, держась за руки, как будем, наслаждаясь музыкой, пребывать в полном блаженстве. Включив музыку, я не мог удержаться. Я подпевал во все горло, давил на газ, бил кулаком по рулевому колесу, орал что есть мочи. Короче, вел себя как полный идиот.

Впрочем, Хейли не выглядела расстроенной. Возле ее дома я даже не попытался ни приобнять ее, ни поцеловать. Просто пожелал ей спокойной ночи. Мы начали встречаться каждый вечер, это длилось несколько недель подряд, и каждое свидание заканчивалось одинаково. Я желал ей спокойной ночи и уезжал. Моя страсть была дикой и безумной, но я был уверен, что Хейли никогда не захочет быть со мной. У нас была большая разница в возрасте (18 лет, если быть точным). Но даже не будь этой разницы, мы были слишком разными. Впрочем, мне было наплевать. Я удовлетворился бы и дружбой с ней, хотя, конечно, мечтал, как мы будем идти, держась за руки. Ехать в машине, держась за руки. Держаться за руки и все делать вместе. Да, вместе.

Во время моей работы в «Каньоне» я консультировал одного хоккеиста из НХЛ. Я помогал ему избавиться от наркотической зависимости перед Олимпийскими играми. Он был в городе и пригласил меня на матч. Конечно же, я позвал с собой Хейли. В перерыве между таймами, или как там у них это называется, мы пошли перекусить. Вдруг она наклонилась ко мне и положила голову на плечо. Я перестал дышать. Я нервно доел пару ломтиков картошки, а потом, справившись со страхом, наклонился и поцеловал ее. А она поцеловала меня в ответ.

После игры мы поехали на вечеринку в «Стандард Отель» в центре Лос-Анджелеса. Мы сидели на крыше и смотрели на небо. Я нервничал и мямлил Бог весть что, и тут она повернулась и снова поцеловала меня. Мы сидели на этой крыше и целовались несколько часов напролет.

ГЛАВА ДЕСЯТАЯ

Я по-прежнему тайком жил в пустующем крыле дома Робби, а это не очень здорово, если у тебя есть постоянная девушка. Я прокрадывался в дом после одиннадцати часов вечера и выходил в семь утра, опасаясь попадаться на глаза жене Робби. У Робби и Лори хватало проблем и без меня — Лори даже спала в домике для гостей, — и меньше всего мне хотелось создавать им новые проблемы.

Но однажды утром я проспал. Моя комната располагалась наверху, все окна были открыты. Гостиный домик Лори находился прямо напротив моей комнаты, и все окна в этом домике тоже были распахнуты. Я увидел, как она наклоняется к подоконнику и набирает номер. Мой телефон зазвонил — раздалась протяжная, гулкая мелодия.

Мать твою.

Похоже, меня застукали. Я спрятался под подоконник и ответил на звонок.

Лори всегда говорила громко, и ее голос из гостиного домика я слышал лучше, чем по телефону. Она кричала, что уезжает с Робби в Европу, а потом — в Нью-Йорк и что ей нужен человек, который останется дома и будет за всем следить.

«Могу я на вас положиться?» — спросила она.

Я говорил очень тихим, приглушенным голосом.

— Да, разумеется.

Она заподозрила неладное.

— Я не прошу слишком многого. Вы можете отказаться. Но я буду платить.

— Нет, нет, нет, — мямлил я. Это был какой-то сюр. Она предлагала заплатить мне за то, что я делал уже год. И она ни о чем не догадывалась! Я следил за домом, пока они были в отъезде, но и когда они приезжали обратно, я тоже был тут, никуда не уезжал. Полтора года я разрывался между «Каньоном», медицинской практикой и безумной влюбленностью в Хейли. Но тут Робби и Лори разругались из-за продажи дома. Она хотела его продать, а он хотел здесь остаться. На этой почве они постоянно ссорились.

Я был уверен, что придется подыскивать новое жилье, и это было ужасно. Ведь я никогда не смогу жить бесплатно в таком роскошном поместье в Малибу. В доме площадью семь тысяч квадратных метров, с частным пляжем, двумя домиками для гостей и бассейном с морской водой. Пока Робби и Лори препирались друг с другом, меня осенило. Это был момент вдохновения, или, как любят говорить на семинарах программы «12 шагов», — откровение свыше.

Я осторожно перебил ее.

— Я могу арендовать ваш дом.

Лори запнулась, но буквально на секунду.

— Как ты собираешься платить?

— Я буду платить десять тысяч долларов в месяц. Справедливая рыночная цена была пятнадцать тысяч, ну, может, двадцать тысяч.

— И где ты возьмешь деньги? — продолжала она.

— Деньги есть. Я могу продать все мое золото. Оно растет в цене. У меня даже больше, чем нужно. За два месяца на берегу океана я приведу ваш дом в порядок. Я покрашу его. Он будет просто замечательным. Я планирую сделать из этого дома самый лучший рехаб во всем Малибу.

Я знал, что мои шансы стремятся к нулю. Я затаил дыхание и ждал, что она ответит.

— Ладно. Только не сорить в моем доме.

— Нет, нет! Я буду следить за порядком!

Я был в полном восторге. Поднявшись наверх, я стал планировать открытие моей собственной клиники. Рехаб «Ривьера».

***

Я еще не успел отремонтировать и покрасить дом, как ко мне начали приезжать пациенты. К этому времени у меня было много знакомых в мире медицины, и все они знали, что я специализируюсь на трудных случаях. Я всегда выступал против идеи, что есть запущенные случаи, когда человека уже не вылечишь. Пациент должен *хотеть, чтобы ему помогли.* Если такое желание у человека есть, я готов полюбить его безоговорочно. И сделаю все, что в моих силах, чтобы он понял: жизнь может быть прекрасной, удивительной и осмысленной без алкоголя и наркотиков.

Мои методы были самыми нетрадиционными. Я возил пациентов на рок-концерты, в Лас-Вегас, на спа-курорты, на фестиваль «Коачелла» и на Гавайи. Однажды мы даже улетели на Багамы и плавали месяц на яхте от одного острова к другому.

Если люди ХОТЯТ ИЗМЕНИТЬСЯ, им для начала нужно ПРИЗНАТЬ свою зависимость.

Я нарушил много правил. Возможно, все подряд. У меня и моей методики было много критиков, но я не обращал на них внимания. Главное, что моя методика работала. Люди выздоравливали.

Я занимался с пациентами серфингом. Мы постились и разрабатывали трехнедельные очистительные диеты на свежевыжатых соках, сырых продуктах и клизмах. Я возил их в Санта-Монику, где выкачивают кровь, помещают ее в стеклянную бутыль, насыщают озоном, а потом кровь яркого рубинового цвета снова переливают в вены. Мы практически поселились в инфракрасной сауне и сидели на диете, которая выводит из организма тяжелые металлы. Люди думали, что мы сошли с ума, но мы с оптимизмом смотрели в будущее, выглядели все лучше, молодели с каждым днем.

Рехаб «Ривьера» стал успешным. Когда я отложил достаточно денег, я оплатил маме билет до Польши, чтобы она навестила родных, которых не видела сорок лет. Вернувшись, она вспомнила свое прошлое и подробно рассказала мне про свое детство — про войну, Казахстан и Сибирь. Мне очень хотелось, чтобы эта поездка была моим подарком маме, но ответный подарок был неизмеримо дороже. Теперь моя симпатия к ней особенно глубока, как никогда раньше. Так что спасибо тебе, мама. И я жалею, что был таким несносным сорванцом...

В известном смысле моя мечта о своем баре стала реальностью. Все начиналось с кухоньки в рехабе «Ривьера». Я готовил для своих пациентов замечательные смузи, и в итоге по утрам ко мне выстраивалась очередь в пятнадцать человек. Все хотели получить смузи. Причем некоторые из желающих даже не были моими пациентами, — это были соседи, дети, еще какие-то люди, которые, попробовав однажды смузи моего приготовления, возвращались вновь и вновь.

Впрочем, не все мои пациенты были примерными. Попадались и отъявленные упрямцы. Их приводили родители или полиция, и порой это были неисправимые упрямцы. Их истории были ужасны, — как бывший наркоман я не чувствовал себя с ними в безопасности и боялся, что ничем не смогу им помочь. Там была одна девочка, ее звали Сара, и из всех знакомых мне торчков Сара была самой сварливой. Моя жизнь меркнет в сравнении с ее жизнью.

Когда Сара прибыла в рехаб, она курила одну сигарету за другой и ела психотропные таблетки. Судя по ее внешнему виду, пора было брать лопату и зарывать ее в землю. Весь день Сара повторяла как заведенная: «Мне пофиг. Только бы вмазаться. Мне пофиг. Только бы вмазаться».

Это была ее мантра. Когда она замолкала, то являлась на кухню и начинала над нами посмеиваться.

«Вы в Малибу помешались на своих репейниках и витаминных коктейлях. Здесь все ездят на "Бентли". Полный бред. Вы все фальшивые. К черту вас всех».

Но она мне нравилась. Я знал, что, прячась за свое демонстративное и грубое поведение, Сара гниет изнутри. И еще она скучает по своим детям. Детей у Сары забрали. Ей угрожал суд. Суд должен был решить, что с ней делать: сажать в тюрьму или снова восстановить в родительских правах? Я видел, что она разрывается на части. Она нуждалась в помощи. Ее никто не удерживал, но она оставалась у меня. И я помог ей.

Прошло полгода. Полгода она не спала по ночам, задремывая лишь под утро, без конца курила, ела джанкфуд и сладости. Но перед ее глазами был пример остальных, и она убеждалась в хороших результатах моей методики. Однажды она вошла на кухню и увидела, как я наливаю в стакан витаминный сок из «Premier Research Laboratories».

— Что это за дерьмо? — спросила Сара.

— Это дерьмо вставляет как ничто в мире.

— Выглядит заманчиво, — сказала она.

— Знаешь, я пью сок не потому, что он хорошо выглядит или приятен на вкус. Я пью его и чувствую себя потрясающе.

Она сдалась. Героин и метамфетамин неприятны на вкус, но она употребляла и то и другое, потому что они поднимали ей настроение.

— Можно стакан?

Я был удивлен. Но сразу же взял пустой стакан и налил ей двойную порцию из разных бутылочек. Сара выпила залпом и отошла в сторону. Она вернулась через две минуты.

Пусть у меня не было бизнес-плана, **финансирования, идеи управления** предприятием общественного питания, зато **я был одержим своей** *мечтой.*

— Можно еще стакан?

— Нет, — отрезал я. — Категорически нельзя, черт возьми.

— Почему же? Мне очень понравилось.

— Ага. А что я пытался вбить тебе в голову месяцами?

— Нет, я серьезно, — ответила она. — Действительно улучшается настроение.

— Это только начало. Посмотрим, что ты скажешь, когда начнешь есть здоровую пищу.

— Что там еще?

— Я приготовлю тебе смузи.

И я приготовил ей смузи с молозивом, миндальным маслом, финиками, медом, пчелиной пыльцой и маточным молочком. Она высосала его, не говоря ни слова, но по выражению ее лица я понял, что ей хорошо, что все ее тело откликнулось на это лекарство.

На другой день меня разбудил стук в дверь.

— Можешь мне приготовить один из этих коктейлей?

Через несколько недель она бросила курить. Через два месяца, вопреки предписаниям врачей, она перестала принимать психотропные препараты. Ее преображение можно назвать только чудом. Мы в нее влюблены — и я, и Хейли. Мы дружим и очень близки. Сегодня она живет в замечательном доме со всеми своими детьми.

Она не пьет и не употребляет почти семь лет. Сегодня она — один из моих лучших друзей, чудесная мама и дочь своих родителей, которые прошли с ней все круги ада. Родители очень любят ее, особенно ее отец Стивен. Он — мой хороший друг и наставник. Каждый январь мы вчетвером выезжаем из города и празднуем ее чудесное исцеление. Она ходит в церковь дважды в неделю, а в прошлом году она организовала первый рынок органических продуктов в своем городке.

Лучшего нельзя и представить.

***

Мне очень нравилось помогать людям, но эта помощь требовала жертв. Я расшибся бы в лепешку ради того, кто хочет быть трезвым и здоровым. Реабилитация сродни волшебству. Но есть люди, которые просто не хотят меняться. Им скучно без игрушек, парней/девушек/супруг/супругов/домов. Или им просто надоели проблемы с законом, ссоры с родителями, и поэтому они дают согласие лечь в реабилитационную клинику, но на самом деле меняться они не хотят. В Малибу мы называем таких людей «гастролерами». Допустим, они селятся в «Обители», ложатся на тридцатидневный курс экспресс-терапии, а потом — сбегают. Затем родственники кладут их снова, уже в другой рехаб, платят шестьдесят

275

тысяч долларов в месяц. И все повторяется с начала. У меня бывали пациенты, которые сменили 10—15 рехабов за пять лет.

Если люди хотят измениться, им для начала нужно признать свою зависимость. Нельзя бесконечно давить на жалость. Надо сказать, что наркоманы и алкоголики — выдающиеся притворщики и плакальщики. Но чтобы признать свою зависимость, нужно смирение, которое, увы, редко бывает свойственно людям с моим характером. Мы попадаем в беду и клянемся Богу, что это никогда больше не повторится, молим о помощи, заключаем якобы нерушимые пакты с нашим подсознанием и остальным миром. А потом в двери настойчиво стучится наше эго, и мы забываем прошлое. И вот мы уже опять пьяны, снова торчим. Потому что в глубине души мы никогда не хотели меняться.

В рехабе «Ривьера» я видел все это много раз. Люди приходили, поджав хвосты, и тысячи раз клялись мне, что они хотят стать чистыми, трезвыми, хорошо себя вести, — обещали все что угодно, лишь бы я помог. Но как только они распаковывали свои вещи — начинали нарушать правила, пропускать комендантский час, отказывались посещать собрания и так далее и тому подобное.

Иногда попадаются отпетые заблудшие души. Эти духовные вампиры влачат нищенское существование, но они слишком ленивы, чтобы что-то изменить, поэтому они изливают свой яд на других и постоянно скандалят. Из-за всего этого моя душа устала. Родственники платили мне за реабилитацию пациентов, но я понимал, что результат будет нулевой, прогресса не ожидается и рано или поздно эти люди снова сядут на иглу. Эта мысль разлагала меня изнутри. Эти деньги доставались мне потом и кровью. Эти вампиры высасывали жизненные соки из окружающих и лишали энтузиазма тех пациентов, которые действительно хотели вылечиться. Потом они уходили, брались за старое, ложились в другой рехаб, и все начиналось заново.

Через пять лет рехаб «Ривьера» начал меня тяготить. У меня появилось больше седых волос, ныла шея и поясница, не говоря уже о том, что мои отношения с Хейли попали под удар и близились к точке невозврата.

Потом сорвался один из моих лучших друзей, который вел наши дела. Он ничего не мог довести до конца, и наше совместное предприятие разваливалось. Ладно бы, если бы он был просто сотрудником, но, как я уже сказал, это был один из моих лучших друзей. Я любил его и не мог понять, почему он так поступает. Только потом я узнал, что он взялся за старое и все время был под кайфом.

Пришлось продать «Ривьеру» за бесценок одному парню из Малибу. У него была тяжелая судьба, много лет назад мы вместе с ним сидели на игле, но он, как и я, сумел завязать, и теперь его дела идут превосходно. Он слышал, что я хочу продать клинику, и спрашивал: может ли он купить ее вместе со своим партнером? У них не было больших денег, но это не важно. Я знал, что дело нужно передать человеку с таким же прошлым, что и у меня, — пусть даже у него не так много денег. Вместе со своим деловым партнером он проделал колоссальную работу. Я ходил к нему на занятия по программе «12 шагов», мы и сейчас часто общаемся.

Порой в моей жизни происходили серьезные перемены, и я понятия не имел, что они мне несут, что ждет меня дальше. Исключение из школы. Переезд из Огайо в Калифорнию. Увольнение из «Каньона».

Но не в этот раз.

В этот раз я точно знал, что мне делать.

***

В 2011 году в старом торговом центре освободилось несколько торговых точек. Место называлось Вилидж Пойнт-Дюм в Малибу. Новый владелец торгового центра выселял бар и нескольких арендаторов, и весь комплекс отчаянно нуждался в обновлении. Пришло время осуществить свою мечту. Пора было открывать предприятие SunLife Organics. SunLife — жизнь солнца. Символом предприятия я выбрал розовый лотос — красивый цветок, который произрастает из грязи и отбросов.

Как и со всеми другими предметами страсти в моей жизни — с музыкой, женщинами, наркотиками, — я упорно преследовал свою цель: открыть органический бар, где будут подавать натуральные соки и смузи. Пусть у меня не было бизнес-плана, финансирования, идеи управления предприятием общественного питания, зато я был одержим своей мечтой. Она никогда не сбылась бы без помощи Хейли, но я буду откровенным и скажу, что наши отношения едва не рухнули окончательно, когда моя мечта сбылась.

Несколько месяцев подряд я постоянно был на нервах, так как открывал свое предприятие. Дело закончилось тем, что мы с Хейли подрались... Я очень боялся провала, и мне нужен был человек, на которого я смог бы свалить вину. Поэтому я сорвался на Хейли, попросил ее забрать деньги из сейфа и уйти из моего дома и моей жизни. Моя вторая сущность требовала выхода из ситуации на моих условиях, пока еще есть такая возможность, пока ситуация не вышла из-под контроля. Старые привычки живучи.

278

> Я никогда **не производил никаких** расчетов, не **подсчитывал прибыль и** убытки, — я даже **не знал, что это** такое.

Той ночью Хейли спала отдельно от меня, а наутро сказала: «Я запрещаю тебе разговаривать со мной таким тоном».

«Ладно», — ответил я.

Больше такого не повторялось.

Слава Богу, она осталась со мной.

Тогда наша экономика здорово просела, и складывалось впечатление, что ей уже не суждено восстановиться. Но мы особо не волновались. Шаг за шагом мы реализовывали свой план. Мы подбирали отличные по своему качеству ингредиенты, собирали самую качественную продукцию со всего мира, нанимали местных ребят и хорошо им платили. Теперь у нас было место, где собирались наши друзья и соседи. Образовался круг единомышленников.

Я говорил Хейли: «Если мы заполучим сто клиентов в день, считай, что дело в шляпе».

Почему сто? Без понятия. Я никогда не производил никаких расчетов, не подсчитывал прибыль и убытки, — я даже не знал, что это такое.

Я прикинул, что сто человек — это приличная цифра, но в то же время не заоблачная.

Через год мы преодолели все препятствия и были готовы открыть двери.

«Сто человек, — повторял я, успокаивая себя. — Только сто. Больше нам ничего не нужно».

В последний день перед открытием на улице остановился школьный автобус, оттуда выбежали мальчики и девочки. Они подбежали к двери, принялись дергать за ручку, но было заперто. Я хотел сказать им, что мы еще не открылись, но на лицах этих ребят был написан такой восторг, такое счастье, что я не мог им не открыть.

Тут подошла вожатая и попыталась угомонить детей.

— Дети, уймитесь. Мы уходим. Они еще не открылись.

— Нет, нет. Все хорошо, — сказал я. — Я приготовлю коктейли.

— Нет, не делайте глупостей, — сказала она. — Не нужно этого.

— Да ладно, мне хочется.

— Хорошо, — сказала она, — у меня есть деньги, и я согласна оплатить все, что они купят.

— Не беспокойтесь. Наш кассовый аппарат еще не подключен. Заходите.

Думаю, что я волновался больше детей. У нашего магазинчика появились первые посетители! Мы взбили смузи и подали к столу вместе с органическим замороженным йогуртом. Дети были такие милые и вежливые, а их воспитательница не уставала нас благодарить.

— Мы просто счастливы, что вы к нам зашли, — сказал я.

После того как мы всех обслужили, школьники выбежали обратно на улицу. Я, Хейли и еще пара ребят, с которыми мы работали, смогли перевести дух. Улыбки не сходили с наших лиц. Наконец-то наша мечта сбылась. Это было что-то нереальное.

Потом вожатая вернулась.

— На улице замечательная погода. Не хотите выйти на минутку? Дети хотят сказать вам спасибо.

Мы вышли на улицу. Дети, выстроившись в стройные ряды, вдруг запели хором. Это было хоровое пение *a capella*. Оказывается, эти ребятишки пели в церковном хоре. Они решили спеть для нас в знак благодарности. На улицу высыпали работники других магазинчиков. Все стояли и слушали, затаив дыхание. Слезы побежали по моему лицу. Мы открывались на следующий день, и я уже больше не боялся, что у нас не будет ни одного клиента.

Дети пели, а я думал: *«Моя идея сработает. Я уверен — она сработает».*

Я не спал всю ночь. На следующее утро мы были в SunLife уже в пять утра, за три часа до официального открытия. Мне не хотелось разочаровываться, и поэтому я не отказывался от своей цели. Сегодня будет сто человек и не меньше.

Пусть придут первые двадцать человек. Пусть придет хотя бы кто-нибудь.

В семь утра подошел мужчина и заглянул внутрь.

Я подлетел к дверям и распахнул их.

— Добро пожаловать! Вы наш первый клиент!

— Клиент? — сказал он. — Я не ваш клиент. Я даже не знаю, куда я зашел.

— Это SunLife Organics.

— Хорошо, но что это означает?

— Гм, — сказал я, — это означает жизнь солнца, ну и...

— А что вы продаете? Я даже не знал, что здесь находится. Я шел к метро, захотел позавтракать и заглянул.

— К *метро*? — переспросил я. — Нет, погодите. Сейчас я вам кое-что приготовлю.

Я приготовил ему «Зеленого человека» — смузи с земляникой, бананами, белокочанной капустой, апельсиновым соком и измельченной зеленью. Один из наших фирменных рецептов. Я готовил смузи, а он скептически на меня смотрел.

— Никогда не пробовал смузи, — сказал он.

— Вот и хорошо. Мы даем вам самое лучшее.

— Но я не люблю овощи.

— Пейте, пейте. Вам понравится.

Он сделал глоточек и вдруг жадно проглотил содержимое.

— Это великолепно!

— Что вас так удивляет? — спросил я.

— Отвратительный цвет. Но вы правы — вкус изумительный. Я — ваш официальный первый клиент.

Мне не хотелось брать с него деньги, но он настоял. Оказалось, что он — стоматолог, здесь неподалеку у него своя практика. И с тех пор он приходил к нам каждый день. Он — наш первый клиент и остается одним из наших поклонников. Этот человек пишет про нас заметки, многие из них есть на сайте MalibuPatch.com.

День начался хорошо. Но я не отказывался от своей мечты: вдруг у нас сегодня будет сто клиентов? Когда мы официально открылись в восемь утра, за дверью выстроилась очередь. В тот день мы обслужили более двухсот пятидесяти человек.

У нас оставалось достаточно много шероховатостей, с которыми надо было разобраться. Но наши клиенты были на удивление терпимы и лояльны. Я благодарю Бога за них и за тех замечательных ребят, которые у нас работают. Так SunLife Organics стал тем, чем он является сегодня. Все мои надежды оправдались, более того: наше дело приобрело куда больший размах, чем я поначалу себе представлял. Благодаря необыкновенной энергии и жажде жизни моих друзей и коллег моя мечта сбылась.

Сегодня у нас четыре магазинчика SunLife Organics, и все процветают. Мы планируем открывать пятый. Последняя сделка на семизначную сумму гарантирует, что в 2017 году откроется еще шесть магазинчиков. Сегодня у меня сто тридцать рабочих мест, и это просто чудо, если вспомнить, где я был двенадцать лет назад.

Йога по-прежнему занимает очень важное место в моей жизни. Два года назад на верхнем этаже над SunLife Organics я даже открыл свой класс йоги. Она называется Малибу Бич Йога. Так что я не только помогаю людям — я и сам практикуюсь. Один из моих инструкторов — сестра Дженнифер.

***

Путь бывает только прямой и узкий. К сожалению, я очень долго шел к этой мудрости. Я искал ее много лет — десятки лет! Я экспериментировал с галлюциногенами и прочими веществами. Я перепробовал практики йоги и дыхательные упражнения. Я скупал книги, изучал самые разные религии, встречался с целителями и шаманами, ездил по святым местам, истратил десятки тысяч долларов на кристаллы и амулеты, призванные исцелить меня, на лазеры, поющие чаши, кулоны и браслеты, диски с медитациями... Я ездил в Индию на несколько недель. Провел месяц в Индонезии. Плавал по островам, практиковал йогу и молился. Я обнимался с живыми святыми и прошел курс трансцендентальной медитации.

Но в конечном счете я понял: путь всегда только прямой и узкий. Единственная мысль, которую мне надо знать, написана в Библии. Люби Бога превыше всего и люби своего ближнего, как самого себя. Вот и все. Здесь истина. Мне больше ничего не нужно знать о духовности и Боге.

Только один судья будет судить меня и мои дела. Это мой Создатель. Я уверен, что все мы очень страшимся, когда испускаем свой последний вздох. Мы понимаем, что все наши убеждения рассыпаются в прах под светом живой универсальной истины нашего бессмертного существования. Но пока я живу на этой земле, я с радостью соглашусь, что есть только прямой узкий путь — путь любви, истины, сострадания, доброты и упорного труда. Я грешу каждый день, но каждое утро, когда я встаю и снова вижу солнце, я договариваюсь с собой, что сегодня сделаю все, что в моих силах.

Мне становится очень грустно, когда я думаю о том, как близко подошел к обрыву, что мог все потерять. Моя жизнь превратилась в такой бардак, что я даже не смог покончить с собой. И посреди всего этого безумия мне явилась эта благодать — моя чудесная реабилитация последних двенадцати лет. Я забыл умереть.

И сейчас я всегда помню, что надо жить.

Героиновый наркоман Халил Рафати, 2003 год

В новой жизни Рафати создал соковую империю

ОБ АВТОРЕ

ХАЛИЛ РАФАТИ — лектор, автор, бизнесмен. Он выгуливал собак, сидел с детьми, мыл машины, делал мебель, консультировал наркозависимых, был менеджером в ресторане и наркоторговцем. Сегодня он — владелец «Малибу Бич Йога» и SunLife Organics — стремительно растущей сети модных калифорнийских баров соков и смузи. Кроме того, он основал рехаб «Ривьера» — пансионат для наркозависимых и алкоголиков. Халил Рафати входит в опекунский совет буддийского монастыря Ташилунпо в Бьялкуппе, Индия.

Сегодня Халил — честный миллионер

Издание для досуга

НОВАЯ РЕАЛЬНОСТЬ

Рафати Халил

Я ЗАБЫЛ УМЕРЕТЬ

Главный редактор *Р. Фасхутдинов*
Ответственный редактор *А. Мясникова*
Художественный редактор *С. Власов*
Младший редактор *М. Коршунова*
Редактор *С. Позняк*
Компьютерная верстка *Н. Зенков*
Корректоры *В. Ганчурина, Л. Юсупова*

ООО «Издательство «Эксмо»
123308, Москва, ул. Зорге, д. 1. Тел.: 8 (495) 411-68-86.
Home page: www.eksmo.ru E-mail: info@eksmo.ru.
Өндіруші: «ЭКСМО» АКБ Баспасы, 123308, Мәскеу, Ресей, Зорге көшесі, 1 үй.
Тел.: 8 (495) 411-68-86.
Home page: www.eksmo.ru E-mail: info@eksmo.ru.
Тауар белгісі: «Эксмо»
Интернет-магазин : www.book24.ru
Интернет-магазин : www.book24.kz
Интернет-дүкен : www.book24.kz
Импортёр в Республику Казахстан ТОО «РДЦ-Алматы».
Қазақстан Республикасындағы импорттаушы «РДЦ-Алматы» ЖШС.
Дистрибьютор и представитель по приему претензий на продукцию,
в Республике Казахстан: ТОО «РДЦ-Алматы»
Қазақстан Республикасында дистрибьютор және өнім бойынша арыз-талаптарды
қабылдаушының өкілі «РДЦ-Алматы» ЖШС,
Алматы қ., Домбровский көш., 3-«а», литер Б, офис 1.
Тел.: 8 (727) 251-59-90/91/92; E-mail: RDC-Almaty@eksmo.kz
Өнімнің жарамдылық мерзімі шектелмеген.
Сертификация туралы ақпарат сайтта: www.eksmo.ru/certification
Сведения о подтверждении соответствия издания согласно законодательству РФ
о техническом регулировании можно получить на сайте Издательства «Эксмо»
www.eksmo.ru/certification
Өндірген мемлекет: Ресей. Сертификация қарастырылмаған

Подписано в печать 21.08.2019.
Формат 60x90 $^1/_{16}$. Печать офсетная. Усл. печ. л. 18,0.
Доп. тираж 2000 экз. Заказ 8330.

Отпечатано с готовых файлов заказчика
в АО «Первая Образцовая типография»,
филиал «УЛЬЯНОВСКИЙ ДОМ ПЕЧАТИ»
432980, Россия, г. Ульяновск, ул. Гончарова, 14

16+

ISBN 978-5-04-089031-6

В электронном виде книги издательства вы можете купить на www.litres.ru

ЛитРес:
один клик до книг

Код экстраординарности
10 нестандартных способов добиться впечатляющих успехов

Серия «Новая реальность»

Если не можете выиграть, меняйте правила. Не можете изменить правила – не обращайте на них внимания. Эта книга бросает вызов устоявшимся представлениям о работе, бизнесе, дружбе, постановке целей, осознанности, счастье и смысле.

Вишен Лакьяни, основатель компании Mindvalley, одного из крупнейших разработчиков приложений для личностного роста, с годовым оборотом примерно 25 миллионов долларов, рассказывает, как работает разум самых смелых мыслителей нашей эры, учит, как создавать собственные правила жизни и добиваться успеха на своих условиях.

10 вполне конкретных правил, которые автор разработал, основываясь на личном опыте и долгих личных беседах с такими выдающимися людьми, как Илон Маск и Ричард Брэнсон, Кен Уилбер и Арианна Хаффингтон, бросают вызов устаревшим моделям поведения.